► liberté

Revue littéraire de création et de critique

Fondée en 1959 par Jean-Guy Pilon.

Conseil des Arts du Canada

Conseil des arts et des lettres Québec

Canadä

CONSEIL DES ARTS DE MONTRÉAL

 érudit

La revue *Liberté* reçoit des subventions du Conseil des arts et des lettres du Québec, du Conseil des Arts du Canada, du Conseil des arts de Montréal et du Patrimoine canadien.

Nous reconnaissons l'aide financière accordée par le gouvernement du Canada pour nos coûts d'envoi postal et nos coûts rédactionnels par l'entremise du Programme d'aide aux publications et du Fonds du Canada pour les magazines.

DISTRIBUTION AU CANADA
Diffusion Dimédia, 539, boul. Lebeau, Saint-Laurent (Qc) H4N 1S2
TÉLÉPHONE 514 336-3941 / TÉLÉCOPIEUR 514 331-3916

Envoi de publication, enregistrement nº 0348

DÉPÔT LÉGAL Bibliothèque nationale du Québec ; *Liberté* est répertoriée dans l'index de périodiques canadiens et dans REPÈRE ; ISSN 0024-2020 ; ISBN 978-2-923675-12-1. *Liberté* est disponible sur microfilms ; s'adresser à : University Microfilms International, 300 N. Zeeb Road, Ann Harbor, Michigan 48106 USA. *Liberté* est membre de la SODEP (www.sodep.qc.ca).

Imprimé au Canada

SOMMAIRE

Juin 2011 / n° 292 / Volume 52 / Numéro 4

À LIRE
(AVANT DE MOURIR)

5   Présentation **PIERRE LEFEBVRE** et **ROBERT RICHARD**

À lire (avant de mourir)

7   J'aime la poésie d'Alain Farah comme j'aime les rhinocéros
ROBERT RICHARD

17   *Bibi* ou l'errance dans un monde stupéfiant et démanché
ROBERT LALONDE

20   Le bruit et le silence **EVELYNE DE LA CHENELIÈRE**

28   De quelques romans régionaux... **GILLES DUPUIS**

32   Chère Louise Dupré **STÉPHANE LÉPINE**

09   Poésie L'homme aux sept orteils **MICHAEL ONDAATJE**
Trad. par **DANIEL CANTY**

Prose

51   Ville Jacques-Cartier avec ses 4000 chiens et son Rhinocéros
LISE VAILLANCOURT

55   Dix questions à Gaston Miron **HAN DAEKYUN**

Débat

67   Le poète et sa langue **JACQUES RANCOURT**

72   *The strange tongues my mother tongued* **ROBERT RICHARD**

80   Feuilleton Tintin dans la Batcave : aventures au pays
de Robert Lepage, épisodes 4, 5 et 6 **DANIEL CANTY**

Chroniques

97   Chronique de guerre : du vertige haïtien **MICHEL PETERSON**

103   Le lecteur impuni : 9. Le lieutenant Poirier **ROBERT LÉVESQUE**

PRÉSENTATION

À peu de choses près, voilà maintenant deux mois que les conserva-teurs de Stephen Harper ont été majoritairement élus au Parlement canadien. Si les raisons de s'inquiéter sont nombreuses, la toute pre-mière nous semble être le peu d'écho qu'a suscité une telle présence à Ottawa. Aux lendemains des résultats, tous les regards étaient tournés, et avec quelle avidité, vers les poteaux orange, la débandade du Bloc et celle des libéraux.

Nous n'affirmons bien sûr pas qu'il fallait éviter de discuter de ces questions, mais s'en gaver était-il une raison suffisante pour ne pas aborder ce qui nous frappait de plein fouet? *Liberté,* cet automne, tentera d'y remédier.

En attendant, voici un numéro consacré à la littérature québé-coise contemporaine. Prenant le contrepied de la recension à la petite semaine que nous imposent les médias, nous avons pensé demander à des lecteurs de bonne volonté de nous entretenir d'un livre aimé paru au cours des dix dernières années. Bien que prévu et préparé de longue date, ce dossier, nous semble-t-il, ne pouvait pas mieux tomber. La littérature, en effet, a toujours été une redoutable oppo-sition officielle.

Pierre Lefebvre et Robert Richard

ROBERT RICHARD

J'AIME LA POÉSIE D'ALAIN FARAH COMME J'AIME LES RHINOCÉROS

Commençons par le commencement, en citant, pour le simple plaisir de la chose, le poème liminaire du recueil *Quelque chose se détache du port* d'Alain Farah. Cela s'intitule «Sur l'expression *tabula rasa*» :

C'est une salade dialectale. Petits morceaux de vert, de rouge et de jaune, où commencent les champs. Loin des révoltes, près des papilles, si l'aphte joue au conquérant.

Il s'agit aussi d'une explication banale : un légume prend l'outil et devient barbier. Puis l'aberration : du persil haché sur la table de la cuisine. Fin de la pilosité morale même si le projet reste utopique.

On ne retourne pas d'où l'on vient. Demande à la tomate, elle le sait [1].

Le plaisir que me procure ce poème tient à ceci qu'il nous situe d'emblée dans la *mimésis*, une *mimésis* qui est un peu plus adornienne qu'aristotélicienne. C'est ce qui fait que ce poème nous touche de son dépaysement. Ici, ça se déleste de tout — comme ça, en partant, sans crier gare. Cela est plutôt rare dans la poésie québécoise où règne une sorte de *moraline* littéraire : on est là, au Québec, à

---

1. Alain Farah, «Sur l'expression *tabula rasa*», *Quelque chose se détache du port*, Montréal, Le Quartanier, 2009 [2004], p. 13.

rivaliser d'apophtegmes de type «vague à l'âme», le tout beuglé devant un public pâmé, avide, dit-on, et qui, à la fin, applaudit de toute sa mécanique de public. Mais chez Farah, c'est autre chose, car voilà un poète qui, dans sa pratique de poète, sait une ou deux choses d'éminemment matérielles sur la *mimésis*.

Quand, pour la première fois, j'ai ouvert le recueil de Farah, et que j'ai lu de mes yeux lu ce poème, je me suis dit, ravi : «Ouais, quelque chose vient effectivement de quitter le port.» C'est un peu ça le sens du recueil, non? Remarquez que je n'en sais rien, sauf à m'en remettre à la postface rédigée par Farah. Mais l'essentiel, c'est quand même ceci : avec ce poème liminaire, le lecteur que j'étais, que je suis, se trouvait soudain avec la certitude qu'on venait, là, tout bonnement, de quitter l'emphase, péché et sottise têtue de presque toute notre poésie nationale !

Qu'en est-il de cette *mimésis*? Platon condamnait la *mimésis* qu'on peut traduire — ne nous donnons pas du fil à retordre — par «imitation». Pour Platon, ne comptent que les Idées dans le ciel des Idées, ce dont l'artiste ne nous fournirait, sale illusionniste qu'il est, que la copie d'une copie. L'artiste, pas philosophe pour un sou, ne serait qu'un bonimenteur, trafiquant de camelote, et si on lui montre la porte de la Cité (ce que fait Platon), ce ne sera jamais trop tôt. Du côté d'Aristote, l'imitation ne porte pas sur les Idées, mais sur les *actions* des hommes dans le monde. Puis, ce don d'imitation que possède l'homme, c'est cela justement qui le caractérise et le distingue de l'animal. Enfin, pour Aristote, l'imitation est un outil de connaissance[2] — tout le contraire de Platon, pour qui l'imitation nous embrouille les idées (selon Platon, l'artiste n'est pas dans le toc, mais dans le toc du toc). D'où un Platon qui chasse l'artiste imitateur de la Cité. Aristote, au contraire, lui ménage une place de choix, car, par son art, l'artiste rend cette Cité meilleure, plus habitable, en purgeant ses citoyens de leurs passions inciviles.

Adorno ajoutera toutefois à la mimésis aristotélicienne la dimension de «jeu d'enfant» qu'Aristote ne fait qu'effleurer. Il faut lire le paragraphe 146 de son ouvrage *Minima Moralia* pour voir ce qu'il

---

2. Aristote, *La poétique*, 1448b4 : «[...] la mimésis est co-naturelle aux hommes, dès leur enfance, et [...] l'homme diffère de tous les animaux en ce qu'il est le plus apte à la mimésis, c'est par la mimésis qu'il produit (poietai) ses premières connaissances (mathèsis). En second lieu, tous les hommes se plaisent à toutes les productions mimétiques (mimèmasi).» La traduction est celle de Pierre Gravel, Montréal, Éditions du Silence, 1995 (Gravel a choisi de ne pas mettre les mots grecs en italiques dans sa traduction). Chez Aristote, la *mimésis* n'a rien d'une copie ou d'une reduplication à l'identique. Il en va plutôt d'une imitation créatrice ou d'une recréation imaginative.

en est. Adorno commence par se demander, avec Hebbel qu'il cite, pourquoi la vie perd presque tout de son charme à mesure que nous vieillissons :

> Dans une surprenante note de son journal, Hebbel se demande « ce qui enlève son charme à la vie à mesure que passent les années ». « C'est que nous voyons derrière toutes ces marionnettes multicolores et grimaçantes le cylindre qui les meut, et que l'attrayante diversité du monde se dissout pour n'être qu'une rigide monotonie. Lorsqu'un enfant voit des saltimbanques qui chantent, des musiciens qui soufflent dans leurs instruments, des jeunes filles qui portent de l'eau, des cochers qui conduisent leur voiture, il pense que tous font cela pour le plaisir qu'ils y trouvent ; il ne peut imaginer que ces gens mangent et boivent aussi, qu'ils vont au lit et se lèvent à nouveau. Mais nous autres, nous savons de quoi il retourne. » Il s'agit en effet du gain qui commande toutes ces activités comme de purs moyens et les réduit à un temps de travail abstrait et interchangeable. La qualité des choses cesse d'être leur essence et devient l'apparition accidentelle de leur valeur. La « forme de l'équivalence » pervertit toutes les perceptions : lorsqu'une détermination personnelle ne motive plus le « plaisir » trouvé à faire une chose, celle-ci perd toute couleur à nos yeux [3].

Si, avec les années, la vie perd de son charme, c'est que nous finissons par savoir de quoi il retourne vraiment dans l'affairement mécanique et trop souvent pathétique des hommes. Mais l'enfant, lui, — et c'est là où veut en venir Adorno — ne voit pas encore tout ce qui abrutit, ce qui abêtit, dans ces grimaces et dans l'« attrayante diversité du monde ». « Dans ses activités gratuites [l'enfant qui joue] use d'une feinte et se porte du côté de la valeur d'usage, contre la valeur d'échange. » Ainsi l'enfant, petit marxiste en herbe, trouve-t-il un plaisir tout ingénu à *imiter* les saltimbanques, les musiciens qui soufflent dans leurs instruments, les jeunes filles porteuses d'eau, les cochers qui conduisent leur voiture : « [l]e petit camion roule, mais ne va nulle part, et les petits tonneaux dont il est chargé sont vides [...] ». Il est intéressant que, dans ce paragraphe intitulé « Boutiques », Adorno ne fasse pas du tout usage, même pas une seule fois, du mot *mimésis*. N'empêche que c'est de cela précisément qu'il est question : l'imitation, c'est-à-dire cela même qui donne le branle à la poésie d'Alain Farah. Ce dernier est comme l'enfant qui imite

---

3. Theodor W. Adorno, *Minima Moralia. Réflexions sur la vie mutilée*, Paris, Payot, 1980 [1951], p. 305.

non pas saltimbanques, cochers et femmes porteuses d'eau, mais le parler des grandes personnes, l'activité, l'affairement langagier, le babil des adultes — bavardage qui se trouve, ici, délesté de toute utilité. Ainsi en va-t-il, chez Farah, du libre jeu du langage. C'est un peu le « dire cela, sans savoir quoi » de Beckett.

Des chats et des rhinocéros

Adorno poursuit (il évolue un peu à l'ombre de la *katharsis* d'Aristote, ici) : « C'est justement en dépouillant de leur utilité médiatisée les choses qu'il manipule que l'enfant tente de sauver dans son rapport avec elles ce qui les rend bénéfiques [!] pour les hommes et ne les livre pas seulement aux rapports d'échange qui déforment pareillement les hommes et les choses. » Chez Farah, la langue parle d'elle-même, « toute seule », comme si elle était mue par une animalité qui serait propre à la poésie. Chaque poème de *Quelque chose se détache du port* semble évoluer, agir, se comporter, etc., à la manière de l'animal dont tout l'attrait consiste à exister « sans tâche à accomplir que puissent reconnaître les hommes » (Adorno, « Boutiques »). C'est pourquoi les enfants aiment les animaux et qu'ils « ont tant de plaisir à les contempler », précise Adorno. Un exemple ? Il faudrait bien sûr citer le recueil au grand complet. Mais prenons ce vers tiré du poème « Grande fête chez AJ » : « [l]a disparition du verre fait de Lamartine la tante de l'événement[4] ». Comment, on se le demande, l'éclipse d'un verre à boire peut-il faire de l'auteur du « Lac » la tantine non pas d'un événement quelconque, mais, semble-t-il, *de l'événement* au sens abstrait du terme ? Puis, dites-moi, par quel détour de parenté cet événement tout abstrait peut-il se retrouver avec une « ma tante », une tata ? Qui doit épouser qui dans l'ordre de la parentèle pour qu'un tel fouillis advienne ? Franchement, quel sens ce charabia peut-il avoir ? La réponse est simple : aucun — aucun sens du tout. Ce qui fait que ce vers est *justement* comme l'animal, sans aucune tâche à accomplir. Et c'est sans doute la raison pour laquelle j'aime ce vers, comme on peut aimer un chat ou un rhinocéros.

Mais, détrompez-vous : il n'est pas du tout question ici de l'enfance gnangnan — mollasse, mièvre et cucul — fétichisée par tant d'écrivains québécois en mal d'inspiration. Il s'agit plutôt de l'enfance du Nietzsche des « Trois métamorphoses ». L'esprit, nous dit Nietzsche, est d'abord chameau, puis lion, avant d'être enfant. C'est

4. Alain Farah, *op. cit.*, p. 15.

ainsi qu'évoluerait l'esprit — enfin, selon le Nietzsche d'*Ainsi parlait Zarathoustra*. Le chameau s'abaisse, il honore le «tu dois!», il vénère la tradition et les ancêtres, il se plie à tout ce cirque. Puis, dans un deuxième temps, évolution oblige, l'esprit devient «lion», c'est-à-dire il devient celui qui rugit et qui vous lance un robuste «je veux» à la figure, car il s'est libéré, lui, de tous les «tu dois» qui pouvaient lui barrer la route. Enfin, l'esprit devient enfant — ultime métamorphose, par-delà le chameau et le lion —, l'enfant, donc, qui est «une roue qui d'elle-même tourne, un mouvement premier, un saint dire Oui[5]». Le vrai commencement se trouve à la fin (après le chameau et le lion). C'est là où en est notre Farah qui, dans sa pratique de poète, dit «Oui» à la langue et qui la laisse dire «Oui», comme ça, sans autre formalité, au cœur de son recueil. Puis, dans tout ça, je vous laisse deviner ce que le chameau et le lion peuvent représenter dans l'histoire de la poésie au Québec, c'est-à-dire dans son évolution...

Là où Alain Farah me déçoit un tantinet, c'est quand il dit, dans sa postface, que le poème liminaire — celui-là même qu'on a pu lire, tout au début — se veut «un double hommage : à la salade libanaise (le taboulé) et au *modus operandi* fantasmatique des avant-gardes (la *tabula rasa*[6])». C'était là une information dont j'aurais pu me passer. Mais voilà que le Farah commentateur est venu casser mon jouet — mon camion, mon tonneau! Voilà qu'il a mis l'animal au boulot! Voilà qu'il l'oblige à trimer! Ce poème porterait donc *sur* quelque chose : une salade (je laisse de côté les avant-gardes dont j'ai depuis longtemps perdu le goût). Il a donc une tâche, ce poème. Il est chargé comme un mulet. Voilà qui nous ramène tout bêtement au port! Le «vécu» qui — du moins, c'est ce que je croyais — avait fui par la porte, eh bien, le voilà qui revient à pleine fenêtre. Car, pour tout dire, quand je me retrouve, moi, seul à seul avec un poème, je suis celui qui ne veut rien savoir — en tout cas, le moins possible. Quand j'ai un poème sous les yeux, c'est tout juste si je ne me mets pas à jouer les gendarmes parisiens : «Circulez, circulez, il n'y a rien à comprendre...»

Je dis que Farah m'a déçu. Mais n'exagérons pas. Il reste tout de même tous ces poèmes qu'il a su ne pas ruiner avec des gloses inopportunes. Revenons à l'essentiel : le fait que, chez Farah, c'est

---

5. Friedrich Nietzsche, «Des trois métamorphoses», *Ainsi parlait Zarathoustra*, Paris, Gallimard, coll. «Idées», 1971, p. 37.
6. Alain Farah, *op. cit.*, p. 74.

quelque chose comme la copie qui précède l'original et non l'inverse. C'est-à-dire qu'en lisant Farah, j'ai l'impression d'avoir déjà lu tout ça ailleurs. Un plagiaire ? Pas du tout. C'est faux. Ce n'est là qu'une impression suscitée par le fait qu'il imite — il ne copie pas[7] — la langue en ce point où celle-ci, c'est ce que je disais tout à l'heure, se met à parler toute seule et comme d'elle-même (comme l'animal qui est sans tâche). C'est la langue en tant que surgissement. Et c'est justement ce qu'a su capter Farah : le fait que la parole « parle uniquement et solitairement avec elle-même[8] », comme le dit Heidegger à la suite de Novalis. Voilà ce dont peu de poètes sont capables, tant ils sont là à vouloir, à tout prix, instrumentaliser la langue. Ils sont comme ça, les poètes, surtout ceux d'aujourd'hui : ils utilisent la poésie comme on utilise son « BlackBerry » ou son « iPhone 4 » : pour envoyer des messages — les sentences et apophtegmes de tout à l'heure — à l'Humanité.

Mais ce serait une grave erreur de conclure à partir de tout ceci que la poésie de Farah n'est qu'un jeu formel. Il s'en défend bien d'ailleurs, dans sa postface, et il a raison : « Je me sentais — me sens encore — étranger à la littérature québécoise en général, et aux expérimentations textualistes des années 1970 en particulier (*La Nouvelle Barre du jour, Les Herbes rouges*), bien que les gestionnaires de catalogues se soient empressés de poser une parenté ou une influence[9]. » On devrait plutôt parler, dans le cas de Farah, non pas de poésie formelle, mais de *poésie informelle* au sens où Adorno pouvait parler de « musique informelle », pour reprendre ici le titre de la célèbre conférence que le philosophe de Francfort prononce à Darmstadt en 1961[10]. Qu'a-t-il en tête, Adorno, quand il parle de « musique informelle » ? La réponse n'est pas si évidente. Il se contente de dire — théologie négative oblige — qu'une telle musique ne serait ni sérielle ni aléatoire[11]. D'une certaine façon, c'est une musique

---

7. La copie, c'est ce qui colle — dans le sens d'être conforme — à un original, à la réalité, etc. Au contraire, l'imitation, c'est ce qui décolle.

8. Martin Heidegger, « Le chemin vers la parole », *Acheminement vers la parole*, Paris, Gallimard, 1976 [1959], p. 227.

9. Alain Farah, *op. cit.*, p. 79-80.

10. Theodor W. Adorno, « Vers une musique informelle », *Quasi una fantasia*, Paris, Gallimard, 1982 [1963], p. 291-340.

11. La *musique sérielle* (d'un Schönberg ou d'un Webern) est une musique composée à partir d'une matrice (ou série de notes) *préétablie*. Il y a donc là une « forme », un moule, qui est imposé au matériau sonore. Sans entrer dans les nuances qui s'imposent, disons ceci : dans la musique sérielle, le compositeur crée peut-être la matrice, la forme, le moule (on l'appellera comme on voudra), mais il ne crée pas la musique en tant que telle, celle-ci étant tout au plus *versée* dans cette matrice, cette forme ou ce moule. Ce n'est pas le compositeur qui, en tant que « sujet », compose la pièce. Avec la *musique aléatoire*, c'est tout

qui, pour ainsi dire, aurait à se faufiler entre ces deux extrêmes. On devine qu'Adorno avait peut-être à l'esprit la musique d'Alban Berg — enfin, peut-être. Puis, il cite tout de même dans sa conférence le magnifique *Erwartung* de Schönberg, dont l'intérêt consiste à être une «forme sans réexposition[12]». Ne ratons pas l'expression : *une forme sans réexposition*. On pourrait également citer les mystérieux *Jeux* (1912) de Claude Debussy, mais qu'Adorno ne cite pas (de toute manière, il n'aime pas particulièrement Debussy). Ce qui caractérise ces deux œuvres (*Erwartung*, *Jeux*), c'est qu'elles se déploient, elles existent, comme dans un état de narration continue ou d'invention perpétuelle — bref, ce sont, c'est ce qu'on doit retenir ici, des formes sans réexposition.

Cela étant, qu'en est-il d'une poésie qui serait informelle? Si la musique informelle est peut-être envisageable (j'en propose un autre exemple : l'œuvre de Gilles Tremblay), est-ce qu'une poésie informelle peut exister? Eh bien, il y a celle de Fernand Ouellette — j'insiste. Et celle d'Alain Farah. Il y en a d'autres — Rimbaud, non? —, mais ce n'est pas pour aujourd'hui, le tour du propriétaire. Une poésie informelle serait comme une musique informelle, laquelle, selon Adorno, «se débarrasse de l'angoisse en la réfléchissant et en la diffusant comme une lumière[13]». Bon, voilà qui est fort joli, non? Mais il faudra tout de même voir tout à l'heure si cela veut dire quelque chose.

Un char d'assaut nommé *Mimésis*

«*Ut pictura poesis*», la poésie est comme la peinture. C'est là une chose qu'a dite Horace (Ier siècle av. J.-C.), et dont la Renaissance — jusqu'à Lessing — a fait tout un plat. À la Renaissance, «*ut pictura poesis*» était une façon de dire que les différents arts seraient tous

---

le contraire. Exemple : l'œuvre intitulée *4'33"* (1952) de John Cage. Dans cette œuvre, un pianiste, chronomètre en main, reste assis devant son instrument. Il ne met même pas les doigts sur le clavier du piano. La pièce dure quatre minutes et trente-trois secondes — d'où le titre. La musique ici consiste dans les toussotements, nécessairement aléatoires, du public. La musique sérielle et la musique aléatoire s'opposent. Mais ce qui est similaire entre ces deux approches, c'est la part réduite du sujet, c'est-à-dire de la libre subjectivité du compositeur. En revanche, la *musique informelle* serait un type de musique où le «sujet» serait pour quelque chose.

12. Theodor W. Adorno, *op. cit.*, p. 295.

13. Cité dans : Daniel Charles, *Gloses sur John Cage*, Paris, Union Générale d'Éditions, coll. «10/18», 1978, p. 29. Cette citation est tirée de «Vers une musique informelle». Toutefois, la traduction de ce même membre de phrase dans l'édition Gallimard de 1982 de *Quasi una fantasia* (p. 313) comporte de légères différences, dont la mutation de «l'angoisse» en «peur» et la disparition complète de la «lumière». Dans l'édition Gallimard, ce même membre de phrase se lit comme suit : «se délivrerait de cette peur en la réfléchissant et en l'irradiant».

mêmes — comme si les arts étaient liés par une manière de consanguinité, comme s'ils étaient interchangeables. Au XVIIIe siècle, ce sera Lessing qui coupera court à tout ça, en proclamant la spécificité de chaque forme d'art (la musique *n'est pas* de la peinture sonore, la poésie *n'est pas* des couleurs en mots, etc.). Mais pour l'instant, jouons les horaciens : avec Farah, c'est *« ut musica poesis »* qu'il faudrait dire, pour en ruminer le sens possible (du moins, pour ce qu'il en est du problème de la réception) : ne pourrait-on pas éprouver la poésie *comme* on éprouve la musique ? Prenons la *Cinquième symphonie* de Beethoven, avec sa fameuse séquence en ouverture : pourquoi tient-on absolument à y voir *le destin frappant à la porte*, alors qu'il n'en va que de ceci : *Allegro con brio*. Pourquoi n'en serait-il pas ainsi de la poésie ?

La *mimésis* donc : son pouvoir consiste non pas à fabriquer la copie conforme de quoi que ce soit (sentiments, pensées, réflexions, ruminations, etc.), mais à imiter, à mimer la totalité de la gestuelle humaine. C'était là la révélation — la révolution — qu'apportait à l'Europe poétique la première traduction en langue moderne (l'italien) de *La poétique* d'Aristote. Elle est de 1549, cette traduction. Avant cette date, c'était Horace qui motivait les troupes, avec son idéal (norme horacienne) pour tout ce qui plaît et instruit en poésie. Horace avait de la poésie une conception instrumentale, solidement arrimée à la rhétorique. Mais avec *la poétique* d'Aristote, c'est une puissante machine — la *mimésis*, véritable char d'assaut — qui débarque dans l'Europe à partir du XVIe siècle, et qui va donner un coup de fouet à l'Europe poétique, picturale et musicale (pensons à la naissance de l'opéra, par exemple, à l'*Orfeo* de Monteverdi qui est de 1607). Dorénavant, il n'est plus question de plaire pour instruire (*utile dulci*), mais d'imiter — ce à quoi on s'adonnera dorénavant, sans repos ni cesse, de Montaigne jusqu'à Charlie Chaplin.

C'est surtout dans les deux premières parties du recueil — intitulées « Sidon(C) » et « Little (B)oy » — que Farah imite la pratique, qu'ont les hommes, de la langue. C'est ce qu'on a déjà vu. Dans la troisième partie — intitulée « (A)lambic » —, il ajoute l'imitation de la narration (ce qui fait un peu « pléonasme », quand on a Aristote à l'esprit). (On aura noté les *A, B, C* qui marchent à reculons, de la troisième à la première partie.) Farah avoue ceci dans sa postface : « Encore aujourd'hui, je suis incapable de maintenir très longtemps une narration stable. Le récit s'éjecte, comme le pilote d'un avion touché à l'aile, dès qu'il commence à prendre forme[14]. » Eh bien, tant mieux! ai-je envie de m'exclamer. Tout l'intérêt d'« (A)lambic » est là : dans ces curieux petits ovnis (les poèmes de cette troisième partie) que Farah nous présente et qui sont des narrations sans récit. On a déjà eu la langue délestée de toute utilité. Ici, ce sont des narrations qui sont délestées, débarrassées de toute histoire — une autre façon de faire « comme », c'est-à-dire *comme* les romans, les annales, les chroniques, les mémoires, etc., *mais en roulant à vide*. C'est toujours l'idée du jeu (faire *comme* les jeunes filles porteuses d'eau, etc.).

Et justement, en parlant de récit, on peut se demander : pourquoi, diable, consommons-nous en abondance romans et téléséries, si ce n'est parce qu'ils allument en nous, et à répétition, ces angoissantes questions : « D'où viens-je? Où vais-je? » Si je veux tant savoir ce qui va arriver à tel ou tel personnage de roman ou de télésérie (est-il vraiment le fils de X? Va-t-il vraiment se faire assassiner en sortant de chez lui tout à l'heure? Etc.), c'est parce que je projette, dans ce personnage, je revis en lui, à travers lui, des questions obsédantes, lancinantes, celles-là mêmes que je me pose depuis toujours (ou presque) et que je me poserai inlassablement jusqu'à la fin de mes jours : « D'où viens-je? Où vais-je? ». Ce sont elles, ces questions, qui touchent au « trognon » de notre existence. Ces damnées questions (où le temps du vécu croise le temps de la narration) *sont* les clés, la substantifique moelle, de notre affolante individuation et de notre très sale finitude. Nous ne sommes *que* cette interrogation à double détente, un questionnement sur deux pattes, qui dort, qui pisse, qui jaspine, qui mange, qui se fâche, qui bosse, qui bande, qui prend des vacances, qui s'emporte, qui aime follement et qui s'aime presque autant, puis qui mange de nouveau, retourne bosser, et qui marche et qui court toujours et toujours plus. D'où notre intérêt impossible à assouvir, à calmer, à apaiser, pour les récits, tous les récits.

L'autodafé

C'est là, dans l'« (A)lambic » de son recueil, que Farah fait jouer ces poussées narratives malingres. Le Farah de la postface semble pris, ici, d'une indécision féconde. Ce n'est pas tant que le vécu rejeté par la porte revienne par la fenêtre. C'est plus exactement qu'il a voulu « traiter *différemment* la matière la plus intime[15] ». Le poète Farah se les pose donc, ces questions : « D'où viens-je? Où vais-je? » Ce sont

14. Alain Farah, *op. cit.*, p. 78.
15. *Ibid.*, p. 74 (souligné dans le texte).

elles qui tapissent l'ensemble du recueil, mais *surtout* cette troisième partie. Toutefois, la bonne idée qu'il a eue, ça a été *d'incendier son vécu*, et *dès* la première œuvre. Il s'est détaché du port (comment aurait-il pu « décoller » autrement ?). Par une sorte d'autodafé — avec l'acte de foi répété sans fin et qui est de rigueur en la circonstance : *« J'imiterai, mais jamais ne copierai. »* Enfin, quelque chose du genre...

Donc, un récit à ressort autobiographique (« Près de l'église, ça deviendra narratif[16] »). Mais heureusement, tout ça est un échec (on aura mieux fait comme autobiographie). Ainsi — c'est là où nous en étions —, Farah incendie sa vie, morceau par morceau, biographème par biographème, dans ces manières de narrations qui tirent à blanc. Et il le fait le plus simplement du monde, devant nous, comme un bonze qui s'arrose au gazole par un beau matin ensoleillé, avant de s'allumer, le plus tranquillement du monde, une dernière clope. On ne saurait être plus « narquois et belliqueux » (pour reprendre ces mots de Farah, dans la postface[17]). La poésie, la vraie, ne cherche pas à consolider ces artéfacts que sont le sens et le vécu, mais à les épuiser. La poésie, quand elle est vraie, se vide d'elle-même — par une sorte d'entropie —, elle laisse partir le sens et le vécu, elle les délaisse, elle les abandonne — pour que tout ça aille vivre ailleurs : « Ça aura un peu brûlé [...]. Il ne restera qu'une odeur de lotion après-rasage[18]. » C'est comme ça qu'il se « débarrasse », qu'il se purge (Aristote) de ces petites passions métaphysiques que sont, justement, le sens et le vécu. Farah se débarrasse de tout ça « en [le] réfléchissant et en [le] diffusant comme une lumière ». Et voilà notre citation de tout à l'heure, celle d'Adorno, qui nous sert un tout petit peu !

Est-ce le prix à payer (s'immoler tout en immolant le sens de cette immolation) pour entrer dans la République des Lettres ? Cela me paraît terriblement grandiloquent. Disons plus simplement : c'est ce qu'on doit tenter de faire si on veut se détacher du port. Puis, comme le dit si bien Farah : « Le temps est bicyclette, une fois convenu que les portes sont des murs[19]. » Que dire de plus ?

16. *Ibid.*, p. 70.
17. *Ibid.*, p. 75.
18. *Ibid.*, p. 70.
19. *Ibid.*, p. 70.

ROBERT LALONDE

BIBI OU L'ERRANCE DANS UN MONDE STUPÉFIANT ET DÉMANCHÉ

Les mots sont toujours de grandes fâcheries parce que libres de toute inhibition.

VICTOR-LÉVY BEAULIEU, *Bibi*

Victor-Lévy-Hugo-Melville-Kerouac-Ferron-Joyce Beaulieu de son vrai nom, son nom complet, qui enfile, comme des perles noires accolées à son nom de baptême, les appellations de ses chers complices, amis et mentors, nous donne *Bibi*[1], un gros et grand bouquin dans lequel il est encore et toujours question de Bibi, c'est-à-dire de soi-même plus l'autre (*ego* expérimental, comme l'écrit Kundera), être composite et errant, qui se perd pour se retrouver. Arpentant aussi bien une libreville imaginaire et très réelle que le pays de saint-jean-de-dieu, ou la fondrière de cèdres et de bleuets du bord du fleuve, ou encore sillonnant moréal-mort, le narrateur se fait, se défait et se refait « comme un lit en désordre ». Il a Kafka à ses trousses et aussi Artaud et d'autres encore. Il se parle à lui-même — « me disais, me dis » —, un livre dans la main gauche, une grosse bière dans l'autre, l'œil fixe sur le chien jaune « qui choisit cette nuit-là pour mourir », juché sur un banc de neige, « cerbère de l'enfer des épopées blanches ». Il est toujours follement amoureux de Judith, l'inoubliable

---

1. Victor-Lévy Beaulieu, *Bibi*, Trois-Pistoles, Éditions Trois-Pistoles, 2009, 597 p.

de ses commencements — de ses premiers livres —, et excité sans fin par les phrases des autres — Artaud, Kafka, surtout —, ceux de «la chapelle des abîmes», parce qu'il sait comme eux «jusqu'où on peut aller». De partout il est attaqué par la tentation d'être, cette folie qui ensanglante, fait connaître «l'extase dans les débris», en même temps révélation et chute sans fin dans l'irréalité. Une truie grognant dans sa tête — celle du voisin de sainte-rose-du-dégelé —, il fait appel aux mots «stupéfiants», se transforme en une bête mentale vicieuse et découvre que «la poésie n'a pas réponse à tout». Il relit sans cesse les lettres de Judith, apprend à «corriger les automatismes de la pensée», arpente une ville d'Afrique inouïe et un Paris dépris de toute magie. Et puis, brusquement, le voilà enfin dans la grande maison de trois-pistoles — jamais de majuscules aux noms de lieux capitaux mais hasardeux —, posant de la beauté sur la laideur des choses mortes, à la manière de Flaubert mettant de l'or sur le fumier, créant en dépit de tout ce qui manque, refaisant encore et sans cesse le pays à sa ressemblance, dépris subitement de sa colère — «je ne peux plus être empoisonné», lui souffle Artaud. Alors il est dans l'apaisement «qui se gazouille, se jacasse, se murmure», fêlé du chaudron, mais le corps flottant dans une ivresse enfin paisible. Et lui revient le Gabon fabuleux, mais aussi un petit garçon poliomyélitique, son soi-même d'autrefois, qui faisait vaille que vaille l'apprentissage du hockey et du football, «ruant dans les parties honteuses de l'adversaire». De nouveau il refait le tour complet de lui-même — «tout n'est que ressemblance involontaire ou délibérée» — à l'aide des pauvres mots qui, en l'arrachant au quotidien, rendent prégnante la roue folle de l'imaginaire. Tout chaudasse de la littérature de ses amis, il la fait tourner vertigineusement, cette roue (on ne dira jamais assez l'ardent ouvrage de passeur de notre homme), car la littérature des autres a au moins ceci de bon : «Elle est consolante parce qu'elle sait mieux expliquer ce qui ne peut pourtant pas l'être.»

On sort stupéfié, ensorcelé et pourtant libre — plus libre qu'avant d'en avoir commencé la lecture, parce que persuadé que rien n'est simple, ni le monde ni soi-même dedans — de ce florilège de vérités et de rumeurs, de cette Arche d'Alliance des mille et une nuits réunissant l'Afrique et la chambre de l'éternel convalescent, le Kébec, «corps facile à voudoumiser», et les yeux violets d'une femme ineffaçable. Le roman — roman? — commence et finit par «me disais, me dis», puisque rien ne finit jamais, puisque tout commence, recommence dans la vie de l'écrivain «impur» et radieux comme les grands

Russes, comme son copain Tolstoï, vivant à la frontière «des sens clairs» et de la folie — «bout de crisse, cesse de chialer, Bibi!» Encore une fois, comme dans ses autres grands bouquins, notre narrateur se voit capable «d'ouvrir les yeux assez grand pour voir d'un coup le tas entier» (!!!). Entouré de ses bêtes guérisseuses, l'auteur qui a, comme l'écrit Léautaud, «passé sa vie à se revivre», se revit encore, à l'endroit, à l'envers, dans tous les sens, tête première dans sa fourmilière en forme de tour de Babel.

Bibi est un gros et grand bouquin «stupéfiant» — adjectif préféré de l'auteur. On ne peut pas dire une somme — peut-être un sommet? — puisqu'on sait que la chère locution «me disais, me dis» n'appelle pas de conclusion et que, la première et la dernière du roman, elle évoque plutôt l'inachevable errance du «nègre blanc» dans l'univers stupéfiant et démanché, peuplé de rois éthiopiens, éclairé par les beaux yeux de Judith, bardassé par «la force en devenir de la liberté», et cela, à pleines phrases jappantes, hurlantes, hilares, tragiques, bien que les mots soient «impuissants à communiquer entre eux, donc à forger la moindre identité». Pourtant la pleineté de la vie est vouée au langage, n'est vouée qu'à lui, qu'à ce «langage d'au-delà du langage qui fait de chaque mot un assourdissant silence». Et notre homme ajoute : «incréation». Il se trompe : il y a création, et pas la moindre! Victor-Lévy ouvre, à la manière de son père imposant les mains sur qui était malade dans la maisonnée, ses grandes paumes de shaman démanché, enflammant notre fièvre de perdus chez-nous, mais apaisant cette honte de fuir toujours, qui est notre lot commun, comme de raison. Refermant le gros pavé, il me semble entendre Flaubert hurler : « C'est un Hénorme bouquin, bordel de Dieu!» Comme le vieux Polycarpe, Victor-Lévy n'est pas prêt de quitter son cher gueuloir. Les dieux soient loués!

LE BRUIT
ET LE SILENCE

Je suis fascinée par les prix littéraires.

Quand apparaît, quelque part, le nom d'un finaliste ou d'un lauréat, j'ai le sentiment de retomber en enfance, et je deviens alors pétrifiée d'angoisse. Enfant, je souffrais de l'omniprésence de la compétition et de la comparaison à l'école. Académiquement, physiquement, socialement, je ne me sentais jamais à la hauteur. Que ce soit en classe ou en récréation, je ne trouvais ni le réconfort ni l'indulgence dont j'avais tant besoin. Je ne vivais alors que dans l'espoir d'entrer un jour dans le monde des adultes, car j'étais convaincue que les gens y étaient moins cruels, moins impitoyables ; je me réjouissais en pensant que je serais débarrassée à tout jamais des étoiles qu'on espère voir collées dans le cahier d'exercices, des notes sans appel quantifiant la valeur d'un travail, des commentaires froids ou sarcastiques dans les bulletins d'évaluation, bref, je pensais que nous pourrions, tous ensemble, respirer plus aisément dès lors que nous ne serions plus en observation permanente, et j'avais très hâte de quitter ce régime de terreur qu'on appelle l'enfance.

Évidemment, je n'avais pas prévu, ni pressenti, que c'est bien pire une fois adulte, puisque le principe même de l'évaluation devient encore plus important alors qu'on s'approche de la mort. D'où, entre autres, les prix littéraires.

Dans une pièce de théâtre que j'ai écrite, je fais dire à un personnage : « Il y a vraiment beaucoup de prix littéraires, hein ? C'est fou le nombre de récompenses qui existent... Si ça continue, on finira tous par être récompensés. »

C'est vrai qu'il y a beaucoup de prix littéraires.

Encore cette semaine, j'apprends qu'il existe un nouveau prix littéraire, le prix du Cercle littéraire, créé par un auteur français qui trouve que les prix littéraires existants ne récompensent pas les bons livres. Frédéric Beigbeder déclare qu'il est « lassé des éternelles remises de prix où le choix du gagnant est toujours opaque ». Alors, il a imaginé une émission où les téléspectateurs pourront assister en direct aux délibérations et à la remise du prix. (Pour se délasser des prix littéraires, rien de tel que de créer un nouveau prix littéraire.)

Toujours en France, on annonce le Prix des prix (je suis sérieuse), manifestement imaginé, lui aussi, par un amoureux des lettres, pour que les lecteurs puissent enfin savoir quel livre, parmi les grandes récompenses françaises de la rentrée littéraire (Académie française, Décembre, Femina, Flore, Goncourt, Interallié, Médicis, Renaudot), est le livre qu'ils doivent absolument se procurer : le meilleur livre parmi les meilleurs livres.

Le grand gagnant jouira d'une promotion extraordinaire, et le lecteur-consommateur sera reconnaissant de cette campagne publicitaire, car il saura ce qu'il faut acheter.

Ainsi, les prix littéraires participent à cette relation marchande que l'on entretient avec les livres, en fabriquant un enthousiasme qui écarte le sens d'une œuvre au profit du symbole de succès qu'elle est devenue. J'aurais aussi bien pu écrire : les prix et leur battage médiatique participent à cette relation marchande que l'on entretient avec les produits culturels, en fabriquant un besoin qui écarte le sens d'une œuvre au profit du symbole de satisfaction qu'elle est devenue.

Il semble que, dans notre culture qui n'a comme repères que le succès et sa célébration, les récompenses donnent un accès à certaines œuvres dont on ne saurait autrement que penser, ni comment aborder, ni que faire. Autrement dit, nous acceptons (nous réclamons) collectivement, en enfants perdus que nous sommes, de nous faire dire : ce livre est bien. Il est bien d'apprécier ce livre.

Et même : les livres, c'est bien.

Paradoxalement, si l'événement que représente toute remise de prix est souvent largement couvert par les médias, la littérature elle-même est de plus en plus absente de la place publique. L'espace qui lui est réservé dans les journaux, à la télévision et à la radio, on le sait, est réduit comme une peau de chagrin.

Or, je suis convaincue que le relais qu'assure la critique est essentiel à la littérature, et que le principe même de récompenser l'excellence n'est pas une mauvaise chose.

Mais *comment* parler de la littérature, et non de produit littéraire ? *Comment* récompenser des œuvres exceptionnelles, et non participer à la marchandisation de la littérature ?

Que dire, par exemple, des grands livres qui n'ont droit à aucune récompense ? Trop souvent, l'accueil qu'on leur réserve repose sur un terrible malentendu.

On croit (on veut croire) que le projet d'un écrivain est de créer une connivence immédiate qui rassemble autour de lui des lecteurs euphoriques, comme un cercle de compréhension et d'approbation autour d'une œuvre où chacun veut se reconnaître, créant ainsi une sorte de contagion de l'assentiment, contagion qui se répand avant tout grâce à la peur d'être exclu, la peur de n'être pas admis dans un cercle où il semble bon discourir et s'exciter. Si le phénomène n'a pas lieu, on voudra absolument faire avouer à l'auteur que son projet a échoué. Dans certains cas, on voudra même qu'il présente des excuses pour avoir échoué. Mais comment exiger des excuses à quelqu'un pour un ratage fantasmé par d'autres ? Par quel tour de force les médias ont-ils su nous faire croire que le projet esthétique d'un écrivain était une réussite à condition qu'il aboutisse à un succès commercial ? Comment acceptons-nous de penser que l'insuccès populaire d'un livre signifie un échec littéraire ?

Admettre ce malentendu, c'est admettre que l'unanimité peut donc, elle aussi, se construire autour d'un fantasme n'ayant rien à voir avec l'œuvre en elle-même. Comment voir clair dans ce brouillard ?

Comment peut-on être certain que notre contact avec une œuvre littéraire n'est pas pollué par trop de bruit, ou trop de silence, autour de l'œuvre ?

Toujours dans cette pièce de théâtre (dont le titre est *L'imposture*), le même personnage parle de l'avenir de la littérature (je vous préviens, ce personnage est pessimiste, et il a un peu trop bu) :

Tout le monde sera l'auteur du même livre et des mêmes phrases tournées dans tous les sens. Vous allez voir. Le monde entier finira par penser la même chose, ce sera la mondialisation de la pensée, la conspiration des idées, oui, les idées vont respirer en commun. Alors bientôt on va s'apercevoir qu'il s'est écrit exactement le même livre dans plusieurs villes à la fois et même dans les campagnes, un livre fait de notre pensée commune, de notre consensus accidentel, oui, la littérature va être réduite à une seule œuvre, comme une longue fugue, une suite d'imitations spontanées, il s'écrira partout le même livre en même temps par des gens qui auront eu la même idée en même temps, et dont chacun dira « mais c'est mon idée! on m'a volé mon idée! », et ils brandiront leur manuscrit, en colère, ils accuseront les autres d'être leurs plagiaires, leurs contrefaçons, ils intenteront des procès, ils s'accrocheront à leur petite variation, à leur pauvre modulation par laquelle ils tenteront de nous convaincre qu'ils se distinguent des autres auteurs, mais la vérité c'est que chaque livre aura exactement le même goût, le goût du jour. Et après il y aura, autour du seul et même livre aux auteurs multiples et tous récompensés, les seules et mêmes conversations sur la littérature contemporaine, ses semblables récompenses, et ses semblables auteurs.

Ce personnage prédit, en quelque sorte, la mort de la littérature par la mort de l'individualité et de la liberté. Bien entendu, je partage l'inquiétude du personnage que j'ai inventé, et je me demande parfois comment donc l'écrivain peut-il résister à la tentation de produire ce qu'on attend de lui. En écrivant, certainement. En se méfiant de sa spontanéité. En prenant le temps.

Prendre le temps, prendre le silence, prendre le bruit, prendre un prix s'il vient à passer, ou ne pas le prendre, au choix, en profiter pour dire que rien ne va plus, ou bien se sauver avec l'argent sans rien dire, s'emparer de l'argent, l'argent du prix littéraire qui doit, en principe, faire écrire davantage, quelle pression ; tout cela nous mène bien loin de la littérature, et c'est sans doute pour cela que beaucoup d'écrivains écrivent sur la littérature, peut-être pour se rappeler ce qu'elle est, ce qu'elle devrait être, pour s'obliger à chercher, tout en écrivant, ce que signifie l'acte d'écrire, et aussi celui de lire.

Car, être écrivain, c'est d'abord être lecteur.

Au-delà du trop de bruit ou du trop de silence qui entoure la sortie d'un livre, qu'est-ce que lire ? Qu'attendre d'un livre ?

Pour ma part, j'attends d'un livre qu'il m'impose d'y revenir. Je ne lui demande pas de me transporter, de faire que je m'évade, que je voyage, je ne lui demande pas de me tenir en haleine, je ne lui demande pas d'être mon miroir, je ne lui demande pas indirectement qu'il flatte mon *ego* de lecteur, je ne lui demande pas de me raconter une histoire bien menée, je ne lui demande pas toutes ces choses que j'ai entendu qu'on attend des livres, ou qui font que les livres méritent des prix littéraires, comme s'il existait une liste mystérieuse faisant l'inventaire de toutes les responsabilités dont on accable les livres, les pauvres. Ça ne me viendrait pas à l'esprit, tout comme il ne me viendrait pas à l'esprit d'exiger d'un livre qu'il me fasse jouir. (Ce n'est qu'un exemple.)

Je demande à un livre qu'il me défamiliarise. Qu'il rende le banal insolite, qu'il sublime étrangement les mots maintes fois visités, et alors je rencontrerai toute chose comme pour la première fois. Oui, j'exige d'un livre écrit en français qu'il me parle dans une langue étrangère. C'est dire que j'attends d'un livre qu'il exige de moi un effort intellectuel pour en trouver l'accès, et c'est principalement ce qui le distingue d'un produit de consommation.

Voilà ce que je réclame, de toute ma soif (immense) et de tout mon ennui (immense aussi).

J'ai ainsi reconnu en Danny Plourde un frère, un ami, un allié, et j'ai eu envie de décrire, bien humblement, de quelle façon son recueil m'a réjouie.

Calme aurore (s'unir ailleurs, du napalm plein l'œil)[1] est un recueil de poésie qui prend la forme d'un récit dans lequel on suit le parcours d'un poète (Danny Plourde), de Montréal jusqu'en Corée, où il part *s'unir* à sa *calme aurore*.

Dès son liminaire, le poète expose son doute, son inquiétude : « non il n'y a pas une cenne de poésie lorsque sur des planches sans pain me plais à réciter un poème sur une zizique mystérieuse comme on récite une recette secrète de poutine de fin de soirée ou bien il y en a trop va donc savoir », mais aussi sa foi en la poésie : « à mon humble avis le poème doit être quelque chose comme un pied-de-biche qui écartille les paupières malgré le froid qui pince dehors ».

Tout au long du recueil, le poète se livre, mais il a effacé le pronom *je*. Récit poétique troué par l'absence de l'*ego*, il laisse la place à l'essence de l'homme, à son désir et à sa quête. Danny Plourde choisit de faire de lui-même un nom commun ou un verbe plutôt que d'exister au *je* : « un plourde qui en dehors des vers qu'il peut écrire est sorti pour quelques mois de la débauche stérile un plourde bourré de rancunes et de faiblesses en vadrouille dans les petits racoins de ruelles un plourde te plourdant sans relâche ».

---

1. Danny Plourde, *Calme aurore (s'unir ailleurs, du napalm plein l'œil)*, prix Émile-Nelligan 2007, Montréal, l'Hexagone, 2007, 112 p.

Que veut dire cette amputation du pronom personnel qui sert à se désigner soi-même? Un refus de participer à une culture du narcissisme? Un malaise identitaire? Une chosification de soi? Une tension entre le retrait et l'engagement? Peut-être un peu tout ça à la fois. L'effet est d'autant plus saisissant lorsqu'on entend Danny Plourde lire lui-même sa poésie sans *je*, s'y engager par le corps tout entier, scander cette langue étrange, la rendre bruit, être entièrement *là*, tout en offrant un texte d'où il s'est «grammaticalement» exclu.

Cette présence sur scène oblige le poète à faire, *live*, l'expérience du pouvoir de séduction de la poésie et, inversement, à constater l'indifférence, l'incompréhension et le mépris auxquels elle se bute. Il a vu, certains soirs, la poésie devenir une simple distraction, un divertissement, il a manifestement vécu des «soirées de la poésie» sans poésie. «Tous ces détours pour un vieux micro bossé   sur l'échafaud devant le public à gagner quelques dollars déjà bus   et dire la gerçure d'une voix qui ne peut s'élever au-dessus d'une autre qu'avec des mots de faim au ventre». Plourde nous plonge dans ce bassin trouble où se côtoient jusqu'à se confondre la vérité et l'illusion, la profondeur et les facéties, la poésie et sa représentation grotesque.

Il décrit comment on peut avoir le douloureux sentiment de devenir sa propre caricature.

ai répété ce qu'on voulait entendre en rajoutant deux ou trois sacres pour faire vrai   ai garroché une guitare dans le mur en crachant de la bile   reçu des tickets pour avoir pissé la queue à l'air sur des avenues bondées de bonnes gens et brisé sur Saint-Laurent ne sais plus combien de fenêtres avec mon poing   toujours en m'enfuyant   dans les cinq à sept la coupe de rouge bien haute ai levé le coude un peu partout avec une poussière dans l'œil

Cette lucidité apporte son lot de douleurs, mais aussi d'amusement, car Danny Plourde joue avec le cliché éculé qui veut qu'un poète soit délinquant et tombeur: «Comment te faire l'amour depuis longtemps n'arrive même plus à compter les jambes qui se sont enroulées autour de mon cou   toutes ces nuits cailleuses à m'enraciner sur des corps terreux». À même ces clichés, la beauté pourtant surgit d'images auxquelles on ne s'attendait pas, car le poète joue avec l'apparence du familier; il nous trompe pour nous détromper aussitôt: «sans te connaître encore t'ai cherchée en fouillant dans des serveuses de fin de shift qui m'ont fait avaler des guirlandes de couleuvres pour que leur laisse un bon pourboire ».

Si elle fouille l'intime, sa poésie ne rejette pas pour autant le politique, bien au contraire. Par le regard du poète, l'actualité fait résonner les enjeux universels et éternels : la fabrication puis la récupération de rêves, d'un idéal politique, la projection de soi dans un avenir plus humain, plus fraternel, l'inaltérable balancier entre l'espoir et le désespoir.

En nous racontant les manifestations étudiantes de 2005 qui ont eu lieu un peu partout au Québec et auxquelles il a participé très activement, Danny Plourde, en peu de mots, cerne un sentiment si difficile à nommer, celui des peuples libres (ou apparemment libres) qui se révoltent sans rien risquer, et ne savent faire que des révolutions relativement tranquilles...

> pendant ce temps les universités québécoises se vidaient de leur sang
> et dans les rues et ruelles de Montréal à Rimouski   de Jonquière à Saint-
> Jean-sur-le-Richelieu   après avoir obtenu auprès des autorités le permis
> de désobéir   braillais de toutes mes forces avec une licorne enchaînée
> dans le fond de la gorge
> [...]
> jurions par des paroles de balles à blanc avec l'idée d'être ensemble
> [...]
> le cœur serré dans une armée de joyeux frustrés prêts à tout détruire sans
> faire de mal

Le poète-manifestant entreprend donc l'expérience du voyage en réponse à son sentiment amoureux, mais en réponse, aussi, à l'incertitude d'un combat qu'il ne sait plus comment mener, ni pourquoi. S'agit-il du combat pour une sorte de bonheur individuel qui ressemble à l'amour ? Ou d'un autre combat, pour une sorte de bonheur collectif qui ressemble à la justice ? Dans le même souffle, entremêlées, les réflexions sur l'amour et sur le pays s'éclairent réciproquement. En effet, le « vouloir aimer » de Danny Plourde ressemble à son « vouloir croire » : il cherche comment s'y prendre pour aimer une femme, il cherche comment s'y prendre pour croire en des causes. Dans les deux cas, sa volonté est tantôt chancelante, tantôt solide comme le roc. Et, dans les deux cas, les mots ne suffisent pas.

tu les connais ma belle lointaine toutes ces tribunes sans écho

tous ces visages défaits qui ne comprennent pas pourquoi le bonheur me

quitte parce que suis là à survivre dans un pays qui a fait de moi un fainéant

    un sans-cœur en tabarnak qui peut-être ne saura jamais vaincre sa

peur d'être libre   et même si me sens toujours si nombreux lorsque

suis seul   ne parle et ne parlerai qu'en mon nom

Au bout de son voyage, une réconciliation donne envie de croire en la poésie, en la résistance et en l'engagement. Plourde donne l'envie furieuse d'être jeune, ou alors d'être jeune à nouveau, et de dresser le poing, de chercher l'amour fou, de le trouver, quitte à le perdre ensuite.

nous nous enfuirons à la levée du jour vers des lieux qui n'ont plus lieu

d'être   et si nous nous perdons en cours de route sur la hanche d'une

montagne nous y boirons la vie à même la source jusqu'à nous soûler de

vertiges   du Hallasan aux Appalaches à hauteur de nuages nous nous

reposerons enfin   sur des tapis d'aloès nous panserons nos plaies comme

des guerriers qui n'ont plus besoin d'armes

Même s'il est vrai que, comme l'écrit si bien Danny Plourde, « sommes nombreux à être seul », et même si le *nous* échappe parfois littéralement à l'auteur, je souhaite que   soyons nombreux à le lire (nombreux et néanmoins seul).

DE QUELQUES ROMANS RÉGIONAUX...

S'il y a une chose que les conservateurs de Stephen Harper ont bien tenté de comprendre au Québec, mais en visant mal — il fallait aussi cibler la culture et non seulement l'agriculture et autres industries régionales —, c'est que «les conditions gagnantes» pour remporter des sièges dans la province consistaient à miser sur les régions. Chaque électeur a la sienne, hormis l'électorat montréalais auquel le Parti conservateur avait déjà renoncé. Or, si le parti était arrivé à convaincre suffisamment de «régionaleux» que le régionalisme est de nouveau la voie populaire au Québec, il aurait récolté suffisamment de voix pour y conserver au moins sa députation, ramenée au lendemain d'élections historiques à une représentation des plus provinciales (bien que supérieure à la peau de chagrin à laquelle s'est trouvée réduite celle du Bloc québécois).

Mais il existe une autre forme de régionalisme distinct de celui qui régnait autrefois, quand le mot était synonyme de conservatisme, de cléricalisme et de traditionalisme; un régionalisme qui revient nous visiter (alors que l'autre nous hantait) après une longue éclipse moderniste, voire postmoderniste, soit depuis le passage, pourtant si peu remarquable, du XXe au XXIe siècle. Il s'agit, au Québec, d'un régionalisme littéraire qui n'est pas si différent de celui qui s'observe aujourd'hui en France, et qui pourrait se résumer dans la formule apolitique: «Une région sans pouvoir». Sa forme plus politique, au sens culturel du mot, pourrait s'exprimer dans le slogan : « Ma région à l'écritoire ! » (mais surtout pas dans la formule « notre » région, comme l'ont si mal compris les conservateurs). C'est de cette forme particulière de littérature régionale que je désire traiter très brièvement dans ces pages de *Liberté*.

Je n'apprendrai rien à personne en disant que depuis la parution des romans de Lise Tremblay (Chicoutimi), d'Hervé Bouchard (« citoyen de Jonquière »), d'Éric Dupont (Gaspésie) et de Nicolas Dickner (Rivière-du-Loup), on assiste au Québec à un certain retour du régionalisme en littérature, retour qui s'accompagne d'un intérêt marqué pour la vie de banlieue, notamment chez Michael Delisle et Catherine Mavrikakis. D'autres auteurs, qui ne s'étaient pas particulièrement intéressés à ce phénomène, ont donné récemment des romans « régionalistes », mais où la région romanesque demeure floue, qu'elle soit située au Québec ou ailleurs. Je pense ici aux romans récents de Julie Mazzieri et de Marie-Pascale Huglo. Bref, un courant à contre-courant de la littérature québécoise des trente dernières années, bipolarisée par la tradition nationale et les écritures migrantes, se dessine à l'horizon.

Je n'insisterais pas sur ce phénomène s'il ne signalait qu'une tendance parmi d'autres, une nouvelle mode destinée à entrer dans le canon littéraire sans laisser de traces visibles (lisibles ou audibles) dans le panorama qu'il contribue à refaçonner. Si je tiens à parler de cet épiphénomène, qui ne se laisse d'ailleurs pas réduire à cette dimension, c'est qu'il apporte selon moi une des contributions les plus originales à la littérature d'ici et d'ailleurs, à l'heure de la mondialisation et plus encore de l'altermondialisation. Figurent, au sein de cette production hétéroclite, les romans les plus innovateurs à être parus au Québec depuis l'an 2000, aussi bien sur le plan de la forme et du style que de l'inspiration insufflée par un imaginaire renouvelé.

Quelques titres ? *Dée* (2002) de Michael Delisle, *Mailloux* (2002) et *Parents et amis sont invités à y assister* (2006) d'Hervé Bouchard, *Nikolski* (2005) de Nicolas Dickner, *Le ciel de Bay City* (2008) de Catherine Mavrikakis, *Le discours sur la tombe de l'idiot* (2009) de Julie Mazzieri, *La respiration du monde* (2010) de Marie-Pascale Huglo. Ces romans, très différents les uns des autres quant à la manière et la matière, gravitent cependant autour d'un même noyau, aussi incertain soit-il, enveloppé dans une nébuleuse qui en cache parfois le caractère localisé. Mais ce caractère est bien présent, thématisé, évoqué ou simplement suggéré par les auteurs. Qui plus est, c'est en lui que se fait jour une poétique de la région qui n'a plus rien à voir avec le régionalisme du terroir.

Je ne procéderai pas ici à des analyses pointues, ni même à une interprétation globale du corpus. Il y a d'autres lieux pour effectuer ce travail de longue haleine, et aujourd'hui (question de temps ou d'état) j'ai le souffle court. Mais je veux bien indiquer en quoi je considère cette nouvelle constellation dans le ciel du Québec plus intéressante à maints égards que bien d'autres romans satellites qui poursuivent l'exploration de la veine urbaine, américaine, voire migrante de « notre » littérature. Or, je me dois de recourir au possessif collectif tout en le mettant entre guillemets, car, si ce « retour du régionalisme » est caractéristique de ce qui se passe ici, il s'est aussi produit ailleurs, notamment en France dans les romans de Pierre Bergounioux, de Richard Millet et quelques œuvres de Pierre Michon.

C'est que la mine d'inspiration américaine, qui avait trouvé dans les années 1980 au Québec un riche filon avec *Volkswagen Blues* de Jacques Poulin et *Une aventure américaine* de Jacques Godbout, commence à se tarir, malgré les pépites prometteuses que furent à l'aube du XXIe siècle *Carnets de naufrage* et *Chercher le vent* de Guillaume Vigneault. Jean-François Chassay et Louis Hamelin défendent toujours avec conviction ce courant de la littérature québécoise, mais on sent que le gisement s'épuise... De leur côté, les écritures migrantes, à la même époque, ont galvanisé une production littéraire qui était devenue sans doute trop monochrome, mais le bois polychrome dont elles se chauffaient commence aussi à manquer... En l'absence de combustible, plus de combustion, et le « migrant » se hâte de se convertir au chauffage électrique de la littérature nationale (gracieuseté d'Hydro-Québec).

Que faire quand les mines sont fermées, faute d'exploitation, et que les forêts sont décimées par la surexploitation? Richard Desjardins l'a compris, Fred Pellerin aussi à sa façon : se remettre au gaz ou s'en remettre à la bonne vieille chandelle. C'est ce qui se passe, au figuré, avec les romans que j'ai rapidement évoqués. Ils racontent (content ou narrent), du moins en apparence et chacun à leur manière, des histoires locales, régionales ou qui se déroulent à plus petite échelle. Mais ils le font en insufflant au récit, par la voie du style ou le souffle de l'esprit, une vigueur insoupçonnée. Le plus souvent — en fait toujours dans ce cas-ci —, ils mettent en scène des régions appauvries, sordides, délaissées ou abandonnées, où la vie est synonyme de survie. Très, très loin de la terre généreuse, pourvoyeuse, providentielle, le coin de pays qui sert de cadre à ces histoires est pauvre et mesquin (au sens étymologique du mot). L'envergure est ailleurs, elle réside dans les personnages démunis ou désemparés qui habitent ces espaces dénudés, et dans la voix d'un auteur qui s'est pris d'affection ou de passion pour ces déshérités de la ville.

Voilà les romans que je lis actuellement avec le plus de bonheur. Dans le malheur sans fond et les joies d'occasion qu'ils mettent en scène, je redécouvre ce qui m'a façonné à leur image.

STÉPHANE LÉPINE

CHÈRE
LOUISE DUPRÉ

Comment donc écrire après Auschwitz, et pourquoi, comment poursuivre après Srebrenica, après Pristina, après Grozny, je ne suis ni juive, ni bosniaque musulmane, ni kosovare albanaise, ni tchétchène, et pourtant, je continue, me promenant effarée, déboussolée presque sur les terres brûlées du Liban, avec au-dedans mon intégrale obscurité, rage rentrée, acte de contrition dehors et par-dessus les oripeaux de l'écriture, ça c'est un comble, la grande ÉCRITURE par laquelle s'éclaireraient soudain avec la seule lanterne de la MORT les souterrains des épouvantes — corps terrés, torturés, violés, affamés, assassinés —, et je remets ça, ne peux même plus m'arrêter, rentrer chez moi, faire comme tout le monde, vivre enfin tranquille, oublier, ne veux même plus comprendre, c'est trop compliqué, sous tous les angles, scruté à travers tous les prismes, trop compliqué, dehors comme dedans, je continue, « rendant l'énigme à l'énigme », comme l'écrivait Valéry.

MADELEINE GAGNON, *Les femmes et la guerre*[1]

Ce texte de Madeleine Gagnon t'est sûrement connu. Dans *Stratégies du vertige*, écrit il y a plus de vingt ans, tu reconnaissais déjà les liens souterrains et prégnants qui t'unissaient à la pensée et à l'œuvre de

1.   Montréal, VLB éditeur, coll. « Partis pris actuels », 2000, p. 199.

cette femme. Il n'est pas possible que le dialogue ait été rompu, que vos *affinités électives* n'aient pas été préservées. Tu aurais pu inscrire ce texte de Madeleine Gagnon en exergue à *Plus haut que les flammes*, le livre de toi qui, à ce jour, m'a le plus ébranlé, avec le tout premier, *La peau familière*, celui grâce auquel nous avons été mis en contact l'un et l'autre la première fois. C'était en 1983. J'ai toujours conservé la lettre que tu m'avais écrite le 27 novembre afin de me remercier pour les questions que je t'avais formulées pour une petite revue aujourd'hui disparue et pour l'intérêt que j'avais porté à ton livre, un livre qui, déjà, se situait à la rencontre de l'intime et du politique :

> cela, bien sûr, EN GROS PLAN, comme un sursaut d'images cette chair répandue toute SABRA CHATILA qui passe le regard se solde là noir blanc, terreur debout, transparente, à frôler la peau sans commune mesure la fiction ne pourrait plus se mesurer au vraisemblable ça resterait en deçà dans le hurlement impossible le rituel ces tendresses déraisonnables puisque la logique menait à l'évidence : l'exaspération de la douleur 18 heures, au moment juste du téléjournal, je sors la nappe, le réel retarde est-il trop tard pour l'imagination ?

Déjà, à ta manière, en des termes qui t'appartiennent, en inscrivant un sujet féminin qui se pose par rapport à lui-même, par rapport à son quotidien, à son imaginaire, mais aussi au politique et à l'Histoire, tu te demandais s'il était possible d'écrire de la poésie après Auschwitz, s'il était possible de faire œuvre d'imagination, alors que les images du massacre de Sabra et Chatila sont transmises au téléjournal de 18 heures. Sans commune mesure, la fiction ? Sans emprise sur le réel ? En deçà dans le hurlement ? Ces questions te hantent encore aujourd'hui, *Plus haut que les flammes* le démontre.

Je t'écris, ma chère Louise, le dimanche 3 avril au soir. J'écoute la pianiste Edna Stern jouer des transcriptions de préludes, fugues et chorals de Bach. Un disque auquel je reviens sans cesse. J'entends en ce moment même le prélude n° 19 BWV 864, en *la* majeur, que je ne peux plus écouter sans éprouver un vague à l'âme. Durant mes séjours répétés à Dresde, j'écoutais toujours Figaro Kulturradio, et ce prélude, arrangé de toutes les manières, constituait l'indicatif de la station, diffusé à toute heure du jour et de la nuit. Till Fellner le joue à toute vitesse, en 1 minute 4 secondes, dans une sorte de légèreté joyeuse, de frivolité amusée ; Edna Stern met 36 secondes de plus pour le jouer, ce prélude, elle y installe une mélancolie, une douceur crépusculaire, un attendrissement dépourvu de sentimentalité pathétique.

C'est la musique de Bach qui, tu le sais, m'a amené pour la première fois sur le territoire de l'ancienne Allemagne de l'Est et qui m'aura permis de découvrir Dresde, cette ville qui a connu la « vie sous deux dictatures », pour reprendre le sous-titre de l'autobiographie de Heiner Müller. Et j'y suis retourné ensuite à maintes reprises. Retourné ? Je devrais plutôt dire : revenu. Plusieurs mots en allemand désignent le retour : *Rückkehr*, *Rückreise*, *Heimreise*, mais aussi *Heimkehr*, retour à la maison, dans son pays natal, dans sa *Heimat*. Il y a aussi le titre d'un poème sublime de Friedrich Hölderlin, *Heimkunft*, qui signifie aussi le retour, mais — Michel Deguy l'a bien démontré — il ne s'agit pas ici de la démarche de celui qui revient sur ses pas. Il s'agit plutôt d'entrer plus avant dans le pays natal, de prêter une meilleure attention à ce qui est essentiellement natal (*das Heimatliche*), pour le mieux entendre, le mieux voir, le *begreifen*, c'est-à-dire le concevoir, le saisir, le prendre avec soi, le comprendre. J'ai donc effectué un « retour » à Dresde comme un homme revient au pays de son enfance, un pays dont il aurait été chassé, dont il se serait détourné, dont il aurait peut-être même eu honte. Je rentrais d'un long voyage au Québec et effectuais une *Heimkunft* vers un pays qui fondamentalement, je le sais aujourd'hui, est le mien, où je suis né à moi-même. Il s'est agi en fait de revenir vers le lieu d'une naissance à venir. D'un retour dans une ville de ruines, une ville ruinée, qui lentement est revenue à la vie, est « renée », cela afin de permettre une accession à une part de moi-même qui m'était — et qui m'est encore en partie — inconnue.

Lors de chacun de mes séjours à Dresde, je t'en ai déjà parlé, j'allais déposer une pierre sur la tombe de Victor Klemperer, dont je lisais des extraits du *Journal* à l'automne 2009 au Studio-théâtre de la Place des Arts et l'automne dernier encore dans la salle commémorative du musée de l'Holocauste. Et chaque année aussi je me rendais à Buchenwald, ce camp de concentration situé tout près de Weimar. Il y a quelque chose de terrifiant à constater que vingt minutes de bus séparent la maison de Goethe, la statue de Goethe et de Schiller devant le Théâtre national de Weimar, ce haut lieu de la culture allemande qu'est la ville de Weimar, là où Thomas Mann s'est rendu après la guerre, en pèlerinage, et le camp de Buchenwald. Selon toute vraisemblance, la population de Weimar voyait bel et bien la fumée blanche qui s'échappait des fours crématoires et savait ce qui se passait là, mais elle préférait fermer les yeux. Dans le camp de Buchenwald (qui signifie « forêt de hêtres » en allemand), il y avait un seul arbre, appelé l'arbre de Goethe, un chêne sous lequel, selon la légende, Goethe, qui n'habitait donc pas si loin, cherchait l'inspiration, et près duquel les prisonniers se réunissaient pour lire de la poésie. La grande majorité étaient juifs, mais plusieurs d'entre eux étaient juifs de la même façon que Stefan Zweig était juif, que Victor Klemperer était juif, c'est-à-dire que c'est la montée du national-socialisme qui leur avait en quelque sorte appris qu'ils étaient juifs. Eux se sentaient fondamentalement allemands et lisaient donc, en allemand, la poésie de Goethe autour d'un arbre, le soir, après une journée de labeur et de souffrances. En se disant qu'un jour les vrais Allemands reprendraient le pouvoir, mettraient fin à ce cauchemar, que la culture et la poésie allemandes triompheraient de la barbarie et de l'inconcevable. Selon une prédiction, la mort de cet arbre annoncerait l'effondrement du IIIe Reich. Cet arbre a été détruit sous les bombes des Alliés en 1945, mais on connaît aujourd'hui encore son emplacement, et des gens comme moi vont s'y recueillir. De là, chère Louise, on aperçoit Weimar.

J'ai beaucoup pensé au camp de Buchenwald et à l'arbre de Goethe en lisant et relisant *Plus haut que les flammes*. Il m'est difficile de te parler de ton livre, de trouver les mots, tant l'émotion fait trembler ma voix et mon regard. D'entrée de jeu, je te dirai que ce recueil constitue pour moi l'une des plus bouleversantes réponses qui aient été données à Adorno, lui qui, tu le sais, notait dans *Prismes* en 1951 qu'« écrire un poème après Auschwitz est barbare ». Ton livre est un témoignage. « Je veux témoigner jusqu'au bout », écrivait Victor Klemperer. « Pour ma part », disait quant à lui H. Langbein, cité par Giorgio Agamben dans *Ce qui reste d'Auschwitz,*

> j'avais pris la ferme résolution de ne pas mourir involontairement quoi qu'il arrive. Je voulais tout voir, tout vivre, faire l'expérience de tout, retenir tout au fond de moi. À quoi bon, puisque je n'aurais jamais la possibilité de crier au monde ce que je savais ? Simplement parce que je ne voulais pas me tirer de là, supprimer le témoin que je pouvais être.

Toi non plus, tu ne veux pas te « tirer de là ». Tu es allée à Auschwitz, et une part de toi est restée là-bas, incapable d'échapper à cet innommable que tu tentes, après Paul Celan, après Bachmann, après Antelme,

Levi, Améry et tant d'autres, de nommer, avec les moyens de la poésie.

Dans *De l'écriture obscure*, l'un de ses textes polémiques les plus ambigus, Primo Levi se livre tout à la fois à une justification de sa propre existence et de son œuvre, à une condamnation sans appel du suicide et à une critique sans concession de la poésie. L'auteur de *Si c'est un homme* voit dans « l'hermétisme » de Celan la préfiguration de l'autoanéantissement qui devait conduire cet autre survivant de la Shoah à se jeter dans la Seine en 1970. Les obscurités poétiques en général, et celles d'un Paul Celan en particulier, n'exprimeraient rien d'autre, selon Levi, qu'un « non-vouloir être, un fuir le monde » :

> Ces ténèbres [...] consternent comme le râle d'un moribond et le sont en effet, précise Primo Levi. Elles nous attirent comme nous attirent les gouffres, mais en même temps elles nous flouent de quelque chose qui devait être dit et ne l'a pas été [...]. Je pense quant à moi que le poète Paul Celan doit bien plutôt être pris en compassion et médité qu'imité. Son message [...] n'est pas un langage, tout au plus est-il un langage obscur et manchot, tel celui qui va mourir.

On sait que Primo Levi voyait dans le langage, et dans le « message » que celui-ci délivre (le témoignage), le sens et la justification de son existence. On sait également que cet optimisme ne l'empêcha pas de commettre l'acte qu'il réfutait absolument, le geste dont, précisément, son écriture lumineuse devait le préserver : le suicide. Que Levi ait été conscient du paradoxe de sa position ne fait guère de doute. C'est toute « la tragédie de l'optimisme », pour reprendre l'expression de sa biographe, Myriam Anissimov, et toute celle, peut-être, de l'humanisme : l'arme qui devait servir à le sauver a été précisément celle avec laquelle il découvrit qu'il ne pouvait l'être. Cette arme est le langage. Lequel bute, face à Auschwitz, sur « des ténèbres », « des obscurités », dont Celan comme Levi cherchèrent à rendre compte par des moyens opposés qui s'avérèrent caducs et ne les sauvèrent ni l'un ni l'autre.

Toi, Louise, tu n'es pas une survivante. Tu n'es ni une rescapée ni une naufragée. « Nous les survivants », écrit Levi dans *Les rescapés et les naufragés*,

> ne sommes pas les vrais témoins. [...] Nous avons essayé avec plus ou moins de savoir de raconter non seulement notre destin, mais aussi celui des

autres, des engloutis ; [...] la destruction menée à son terme, l'œuvre accomplie, personne ne l'a jamais racontée. [...] Les engloutis, même s'ils avaient eu une plume et du papier, n'auraient pas témoigné, parce que leur mort avait commencé avant la mort corporelle. Des semaines et des mois avant de s'éteindre, ils avaient déjà perdu la force d'observer, de se souvenir, de prendre la mesure des choses et de l'exprimer.

Toi, tu viens après et, je le répète, avec les moyens de la poésie, tu tentes de témoigner de ce que tu as vu, de ce que tu as éprouvé, de l'inimaginable, de ce monde atroce où « Dieu n'est qu'un souvenir de messe basse » et où personne ne prend pitié de personne. Tu tentes de témoigner de tout ce que tu ne parviens pas à nommer. En cela, *Plus haut que les flammes* est imprégné du « Tu n'as rien vu à Hiroshima. Rien. / J'ai tout vu. Tout » de Marguerite Duras et Alain Resnais. Ce n'est pas un hasard si ton livre s'ouvre sur la deuxième personne du singulier. Hommage sans doute à Duras et à celui qui, avec *Nuit et brouillard*, fut l'un des premiers à montrer l'horreur, à mettre des images sur l'innommable.

Ton poème a surgi
de l'enfer

[...]

c'était après ce voyage
dont tu étais revenue

les yeux brûlés vifs
de n'avoir rien vu

Chère Louise, tu fais œuvre de poésie, mais ta position et ta pensée philosophique portent l'empreinte profonde de Martin Heidegger, de Hannah Arendt, de Michel Foucault et du Giorgio Agamben de *Ce qui reste d'Auschwitz*. D'une page à l'autre, d'un bloc de vers à l'autre, tu dessines la carte d'une *terra ethica* plongeant ses racines directement dans l'expérience des camps et dans ses liens avec le langage, ou ce qu'il en reste après Auschwitz. Et tu persistes à croire dans le pouvoir d'élucidation du langage et de la littérature. Tu crois possible d'écrire un poème. « L'homme, écrit encore Agamben, a lieu dans la fracture entre le vivant et le parlant, entre non humain et humain », et « l'intimité, qui trahit notre non-coïncidence à nous-mêmes, est le lieu propre du témoignage ». Il n'y a pas de *je* dans *Plus haut que les flammes*. Cela t'est impossible. Le *je* en toi ne peut parler. Il ne peut que se taire ou s'adresser à cette part de toi qui s'avère impuissante et sans mots, qui ne souhaite pas mettre des mots sur les maux. « Un acte d'auteur qui prétendrait valoir en soi est un non-sens, dit encore Agamben, de même que le témoignage du rescapé n'a de vérité que s'il complète en l'intégrant le témoignage de qui ne peut témoigner. » Voilà tout le défi posé à Primo Levi, à Paul Celan, comme à toi. Tout le défi posé à la littérature.

Me permettras-tu, en terminant, de revenir à moi ? Dans un texte sur l'exil, « l'exil accompli », le psychanalyste François Peraldi écrivait, marchant ainsi dans les pas et la pensée de Heidegger :

> J'ai toujours pensé contre le bon sens, et je le pense encore, que l'une des conditions que le psychanalyste — tout comme le poète d'ailleurs — « devrait remplir pour parvenir à être chez lui dans ce qui lui est propre... c'est le voyage à l'étranger ». Pas n'importe quel voyage cependant, pas n'importe quel pays étranger. [...] Il s'agit de ce pays-là qui m'est étranger mais qui est le seul par lequel il est inscrit que je doive passer pour parvenir chez moi, dans ce qui m'est propre.

Il t'aura fallu passer par Dachau et par Auschwitz pour écrire *cela*. De la même façon qu'il m'aura fallu passer par Dresde et marcher dans les pas de Victor Klemperer pour parvenir un tant soit peu à me conjuguer à la première personne du singulier.

Nous étions proches, ma chère Louise, nous voilà plus que jamais unis dans la douleur, et dans l'impossibilité et la nécessité de dire.

MICHAEL ONDAATJE

L'HOMME AUX SEPT ORTEILS

Traduit de l'anglais par Daniel Canty
Poèmes publiés avec la permission de l'auteur et de son agent,
Ellen Levine

Publié en 1969 par Coach House Press, à Toronto, dans une édition limitée à 300 copies, *L'homme aux sept orteils*, troisième livre de Michael Ondaatje, marque le début du lent mouvement de son écriture vers la prose romanesque qui lui vaudra, dès le milieu des années 1980, une notoriété mondiale. Dans l'œuvre d'Ondaatje, ce livre discret et inclassable fait suite au recueil de poésie *The Dainty Monsters* (1967), et précède l'éclatement formel des *Collected Works of Billy the Kid* (1970), western poétique qui emprunte aux formes romanesques et dramatiques pour incarner la vie imaginaire d'un jeune hors-la-loi américain.

Ondaatje était alors un de ces jeunes écrivains «expérimentaux». *L'homme aux sept orteils* se présente comme le livret d'une pièce de théâtre en vers. Trois voix entremêlées portent la narration. Le narrateur anonyme pourrait bien appartenir à la troupe de sauveteurs qui sillonne l'Outback australien à la recherche d'une jeune lady écossaise, Mlle Fraser, égarée en pleine nature. Capturée par une tribu d'aborigènes, elle sera sauvée par un bagnard en fuite, Potter.

Ce Robinson a accepté de la ramener à la civilisation contre la promesse qu'elle plaide en sa faveur auprès du gouverneur...

Le texte, qui ne contient ni répliques ni didascalies, donne corps à une sorte de monologue intérieur partagé. Le langage, traversé d'intenses tensions charnelles, semble être l'efflorescence des perceptions et des pulsions des personnages.

Les poèmes qui suivent correspondent aux premières pages que j'ai traduites. Les curieux pourront lire la suite cet automne, lorsque la traduction complète de ce livre paraîtra au Noroît.

— Daniel Canty

Mlle Fraser est une lady écossaise qui a fait naufrage sur ce qui est aujourd'hui l'île Fraser, près de la côte du Queensland. Durant six mois, elle a vécu parmi les aborigènes, perdant très vite tous ses vêtements, jusqu'au moment où elle a été découverte par un certain Bracefell, un bagnard déserteur, qui vivait caché depuis plus de dix ans parmi les tribus australiennes. La lady a demandé au criminel de la ramener à la civilisation, ce à quoi il était prêt si elle promettait d'intercéder auprès du gouverneur pour son pardon. Le pacte conclu, le couple s'est dirigé vers l'intérieur des terres.

Au premier signe d'une présence européenne, Mlle Fraser s'est retournée contre son bienfaiteur et a menacé de le livrer à la Justice s'il ne décampait pas aussitôt. Bracefell est reparti, désillusionné, vers le *bush* hospitalier. Les aventures de Mlle Fraser ont suscité un tel intérêt et une telle admiration qu'à son retour en Europe elle a pu s'exhiber pour six pennies la séance à Hyde Park.

— Colin MacInnes

Le train bourdonnait comme un oiseau
au ras des rails, à travers
le désert les herbes pâles,
l'air tourbillonnait dans les cars.

Elle est allée vers l'escalier sans porte
sentir le vent fouetter ses genoux.
À l'arrêt au réservoir elle est descendue
s'asseoir près des rails, sur des pierres grosses
    comme des poignets.

Le train a tremblé, a roulé loin d'elle.
Seulement, elle était trop lasse pour crier.
Reviens, a-t-elle murmuré pour elle seule.

Elle s'éveille, un chien
planté à son épaule
à ne rien faire; il ne la voit même pas
le regard perdu au bout des terres.

Elle sursaute et il trotte
un peu plus loin se lécher le pénis
cette fleur rouge du désert.
Elle détourne les yeux; autour il n'y a que du vide.

Une heure passe.
Enfin le chien bouge. Elle le suit,
la tête nimbée de moustiques.

Ils apparaissent dans la clairière, tournent
des têtes scarifiées d'ornements —
plumes, ossements, peintures d'argile
collés, embrochés sur la peau.
Cordages noirs des muscles,
d'une minceur fanatique.

L'un d'entre eux, l'œil droit manquant
lui apporte à manger sur une feuille.

M'ont épluché les vêtements comme une cosse
ont jaugé ma blancheur
soupesé mes seins soulevé
ma tignasse, leurs doigts
grouillant sur ma tête
puis ils ont ri,
        me lançant
ma robe rouge.

Ils filent droit
comme l'épinoche,
on entend leurs orteils
craquer sous leur poids,
coudes affûtés comme becs d'oiseaux
cuir gris des genoux.

Une géographie sous la plante des pieds.

M'ont léchée
sensation de métal froid, ont enfoncé
des doigts chauds dans ma bouche, ont arraché
mes plombages d'argent,
les ont enfilés, portés en talismans.

M'a léchée
a bavé l'amour à mon oreille
mordu mon lobe à l'os,
l'a mâché — un jonc de mariage
lui pousse là dans l'estomac

puis lui en moi
en ma chair
comme un comme un
tam-tam.

Corps disparus
rétrécis derrière grandes plumes d'oiseaux
muscles poings serrés

ont bondi se sont élancés
en dansant
jusqu'au ciel
se sont lovés en boule
pour replonger —
nouveaux météores, symétriques

Leurs cous se sont étirés
en vagues ondoyantes
muscles fléchis
des cuisses les ont propulsés
têtes à l'envers
pour atterrir au ciel.
Démarches de rôdeurs
hargnes mimées crachant
sur les proies mythiques
bras entrouverts
corps lovés
mordant entremêlés, ont jeté bras et jambes
qui pourraient bien
appartenir à d'autres,

ont hurlé leurs âmes
célébré leurs chairs
tout dévoré et pris du ventre.

Des boucs   des boucs noirs, sacs broussailleux au centre
verges dressées oiseaux volant vers toi   s'abattant sur toi
et les sourires ces sourires quand ils t'ébouriffent t'entrouvrent
te renversent par terre, sautent viennent sur toi
arcs laiteux fontaines dans ta chevelure
sur ta tête dans ta bouche qui sèchent là
se cicatrisent crispent ton visage
Puis ils se lèvent vont cuisiner du renard ou quoi, ou des boucs
des boucs manger des boucs hisser leurs corps
entrouverts comme des vulves mauves autour des côtes, puis ils
     arrachent
pour toi un couteau sous la gorge, une main dans les chaudes
les bouillantes les sombres entrailles qu'ils déchirent
et le sang explose comme de la dynamite
tombe en plein dans la bouche des enfants assis par terre
qui rient le recueillent dans leurs mains
ou vont chercher un bol, du sang comme de l'or au fond des paumes
et les hommes déchiquettent la chair effilochée, leurs muscles
nerfs verts et rouges encore sautillants

cordages tendus, comme toi

et y fourrent la tête
et saisissent vite vite   viens vite
VIENS VITE ! le cœur encore battant
arrêté d'un coup, et attrapent le cœur toujours vibrant
entre leurs lèvres dures tranquilles   et le dévorent vivant
vivant encore dans leurs bouches leurs gorges battant et puis   Bang
encore ! BANG dans leurs estomacs

La nuit le vent
tournoie en tête
butine la sueur de ton corps

à quelques verges, ils
ruent contre la nuit

Ciel cru, à vif

Elle l'a entendu se frayer un chemin ondoyant entre les racines
des quenouilles jaunes.

Les coudes saillant pour garder l'équilibre, replié
à demi titubant, se mouvant comme
un corbeau parmi les herbes la boue et l'eau
il a traversé le tronçon ensoleillé de la rivière
éparpillant ses réflexions jusqu'à ce qu'elles
soient des rayures de zèbres
galopant loin de lui.
Lui, au centre d'un vaste ondoiement
convergeant vers elle
pour lui fouetter les genoux.

Son regard bégaye
devant la couleur soudain
de cette femme sur la rive
robe rouge coincée dans la fente des fesses

PROSE
LISE VAILLANCOURT

VILLE JACQUES-CARTIER AVEC SES 4000 CHIENS ET SON RHINOCÉROS

Été 1960

Je viens de déménager dans le domaine Bellerive, un quartier riche de Ville Jacques-Cartier. Tout autour, il y a le bois et le faubourg où habitent les pauvres. J'ai six ans et le dos rond; on menace de me le plâtrer pour me redresser. C'est que depuis que je suis arrivée, je suis complètement déprimée. Je trouve affreux notre *split-level* en briques blanches et tous les *bungalows* à vendre de la rue, parce qu'ils sont vides.

Ma mère m'amène chez le médecin. Je suis assise sur la table d'auscultation du Dr Jacques Ferron. Sur son bureau, un amas de feuilles manuscrites. Au mur, un petit tableau représentant la rivière Maskinongé. C'est un tableau de sa mère. Il contraste incroyablement avec la peinture de sa sœur Marcelle. Je connais sa peinture parce que mon père, qui fait du figuratif, gueule régulièrement contre les peintres du Refus global.

Dans le faubourg de Ville Jacques-Cartier, il n'y a pas d'égouts, pas de policiers, pas de rues. Comme il n'y a pas de policiers, les gens se font garder par des chiens. En 1960, il y a 4000 chiens sans licence dans la ville; les chiens, semble-t-il, grimpent régulièrement le mont Saint-Bruno et deviennent des loups. Ma mère, en déménageant dans cet endroit maudit, nous enferme dans la cave tout l'été, mon frère et moi, pour nous protéger des chiens errants et de toute la racaille pauvre qui vit dans le bois. Le Dr Ferron voyant que mes muscles sont inexplicablement flasques me prescrit du fer et recommande fermement à ma mère de me mettre dehors tous les jours à partir de huit heures du matin et de ne me laisser rentrer à la maison qu'à six heures du soir. Je découvre un complice. Ma mère est choquée. Moi, je suis ravie.

Je fréquente l'école Saint-Joseph-de-Sérigny, comme les enfants du faubourg, ceux qui arrivent avec des tuques sur la tête pour ne pas contaminer les autres avec leurs poux, ceux qui vivent dans des maisons où il n'y a pas d'eau chaude, ceux qui vivent dans cette zone mythique qui suscite tant d'images d'horreur chez ma mère. Je me tiens avec les plus grands pour être protégée. Durant la récréation, je traîne les pieds dans la garnotte pour être aussi sale que mes amis. Dans cette école, il faudrait des travailleurs humanitaires, pas des professeurs. Aucun enfant ne répond à l'attention qu'on lui porte. Toute marque d'amour dans cette crasse et cette misère est suspecte. Ce qui fait de nous des bums dès l'âge de six ans.

1963

Je deviens amie avec Claude et sa sœur Michelle. Leur mère Élisabeth participe aux réunions de fondation d'un nouveau parti politique avec le Dr Ferron : le Parti rhinocéros. Dans une entrevue accordée à Radio-Canada que nous regardons, le Dr Ferron dévoile le slogan du Parti, « D'une mare à l'autre », et son programme : faire circuler librement les rhinocéros à travers tout le Canada en les juchant sur de petites planches à roulettes. Ainsi, ce projet encouragerait les travaux de voirie et permettrait de renforcer les liens entre toutes les provinces. Lorsqu'un député rhino sera élu, dit-il, il ne parlera pas, il ne pensera pas, il ne fera rien. Ferron déclare que la fondation de ce Parti est une façon pacifique de dire son mécontentement. Le FLQ, dont certains membres habitent Ville Jacques-Cartier, est fondé la même année.

Ville Jacques-Cartier est donc le repère du Parti rhino, des premiers felquistes, mais aussi le lieu de naissance du poète Denis Vanier qui écrira à propos de cette ville « que les rockers, les punks et les skins furent inventés dans cette petite banlieue de la Rive-Sud bien avant qu'à New York et Los Angeles ».

1966

J'ai 12 ans. Je lis un livre qui va transformer ma vie, *L'avalée des avalés*, écrit par un médiaphobe : Réjean Ducharme. Je dévore l'histoire de cette petite fille, Bérénice Einberg, qui se révolte contre sa famille. Bérénice Einberg entre dans mon pays imaginaire. Je l'inclus dans cette ville de chiens sauvages et de rhinocéros qui circulent à travers le Canada en planches à roulettes. Mon imagination trempe dans l'encre vitaminique de la révolte et de la subversion.

1970

Sortie de *L'amélanchier*. Ferron immortalise le domaine Bellerive où j'habite. Il parle du bois dans lequel la narratrice va se promener avec sa *Flore laurentienne* pour dialoguer avec les arbres. Elle se nomme Tinamer de Portanqueu. Bérénice Einberg et Tinamer de Portanqueu : les deux personnages révolutionnaires de mon pays mythologique.

Ferron n'a appartenu à aucune clique ; il a consacré sa vie professionnelle aux écorchés vifs, aux trahis, aux simples d'esprit et aux fous asilaires. Il n'a pas fait la route de Kerouac, ne s'est pas tourné vers la France. C'était un amoureux de Faulkner et un homme de la campagne. Ferron était peut-être la seule personnalité modeste de cette époque, mais sa révolte était incontestable, comme sa colère, directement nourrie de sa pratique de médecin. En dénonçant les politiciens et l'industrie pharmaceutique dans ses deux cents lettres aux journaux, Ferron, en maître de la jambette, nous faisait culbuter dans l'ironie.

1973

J'ai 19 ans. Je quitte Ville Jacques-Cartier, annexée depuis quatre ans à Longueuil. Je retourne voir le Dr Ferron pour une douleur au côté droit. Comme toutes les fois où je suis venue le voir enfant, il parle avec moi, me demande des nouvelles de ma vie. Je lui dis que je pars avec des amis à Saint-Jean-Port-Joli cultiver des rosiers. Il me parle des cœurs-saignants qui poussent à profusion dans le Bas-du-Fleuve qu'il aime tant. Quand il propose de m'ausculter, je me rends compte que je n'ai plus mal. Il me dit : « Tu sais, c'est angoissant de quitter le nid familial, qu'on y a été bien traité ou mal aimé... » Puis, il me donne son dernier livre, *Les roses sauvages*. Quand je ferme la porte de son cabinet, l'enfance est finie.

Je m'en vais dans le Bas-du-Fleuve. Je tombe en amour avec le Grand-Laurent. Je cultive des roses, j'élève des lapins, je vis mes premières grandes amours et je noircis de petits carnets.

1979
Quand je débarque à Montréal, la révolte est féministe.

PROSE

HAN DAEKYUN

DIX QUESTIONS
À GASTON MIRON

Entretien imaginaire avec
le poète de *L'homme rapaillé*

un beau jour de l'été 2010, au carré Saint-Louis

Q. 1 — Bonjour M. Miron. Je viens de la Corée, souvent appelée « Pays du matin calme », d'après le poème du poète indien Tagore. Le matin du pays n'est plus calme, mais il l'était, même trop. Nous, les Coréens, nous étions trop tranquilles pour saisir à temps l'occasion de moderniser notre pays. De là viennent la perte de la souveraineté et la colonisation par l'Empire japonais. Le *calme* équivaut à la *noirceur* dans l'histoire, même si Baudelaire chante « Là, tout n'est qu'ordre et beauté / Luxe, calme et volupté[1] » dans un poème des *Fleurs du mal*. Le calme n'est beau que dans le texte poétique. Je sais qu'il y a dans l'histoire québécoise une époque dite de *la Grande Noirceur*, mais il n'en est pas moins vrai que depuis 1760 le Canada français s'endormait dans la *noirceur* profonde. D'après vous, cette *noirceur*

---

1.   Charles Baudelaire, *Œuvres complètes*, tome I, texte établi, présenté et annoté par Claude Pichois, Paris, Gallimard, 1975.

était-elle une conséquence de l'état aliéné des colonisés? Dans un article intitulé «Les Canadiens français sont-ils des colonisés[2]?», Albert Memmi a affirmé que les Canadiens français étaient *dominés*, mais il s'est gardé d'utiliser le mot *colonisé*, en disant que «le mot *colonisé* a été mis à toutes les sauces, et [que] chaque situation est spécifique...». Et, dans le même article, il ajoute que «le niveau de vie des Canadiens français est, dans l'ensemble et comparativement, plus élevé qu'en Europe», ce qui signifie qu'il n'y avait pas de misère matérielle au Québec, donc pas d'exploitation économique, comme en général chez les colonisés. Qu'en pensez-vous?

R. 1 — Oh, rien n'a changé depuis que j'ai quitté le Québec en décembre 1996. «Ma terre amère ma terre amande» («Compagnon des Amériques») que j'aimais avec tant de dévotion, je la retrouve grâce à vous aujourd'hui, et je vous en remercie. Et je suis très content de vous rencontrer, surtout ici, au cœur de ce carré Saint-Louis, où j'ai habité pendant un certain temps. C'était un lieu hautement symbolique où nos ouvriers canadiens-français se rassemblaient avec «[leurs] visages de terre cuite et [leurs] mains / de cuir repoussé burinés d'histoire et de travaux» («La route que nous suivons»), pour partager leurs angoisses et leurs bonheurs. D'abord, je voudrais appeler *Québécois* ces «Canadiens français» dont Memmi a parlé pour la première fois en 1966[3], et d'ailleurs Memmi lui aussi nous a appelés *Québécois* par la suite, dans la nouvelle édition du *Portrait du colonisé* publiée en 1972 au Québec. En effet, les deux hypothèses qu'il évoque dans son article sont valables : «toute domination est relative, toute domination est spécifique». Même s'il n'y a pas de domination absolue, il n'en est pas moins vrai qu'à partir du traité de Paris nous sommes *dominés* par les Canadiens anglophones, et aussi *colonisés*, car la souveraineté de la Nouvelle-France a été perdue après la guerre de Sept ans. C'est un fait indéniable dans notre histoire. C'est donc un absolu. Et ce qui est vraiment *relatif*, c'est la «misère matérielle». J'ai qualifié le Québécois d'«homme du cheap way, [d]'homme du cheap work» («Le damned Canuck») dans un poème qui appartient au cycle poétique *La batèche*. Comme je l'ai mentionné dans une note de *L'homme rapaillé* publié en

2. Dans son livre *Portrait du colonisé* suivi de «Les Canadiens français sont-ils des colonisés?», préface de Jean-Paul Sartre, nouvelle édition québécoise, revue et corrigée par l'auteur, Montréal, l'Étincelle, 1972.
3. Albert Memmi, *Portrait du colonisé*, Paris, Éditions J.-J. Pauvert, coll. «Libertés», 1966.

1994[4], j'emploie l'expression «*maudite batèche de vie*» pour mani-
fester ma misère ou ma révolte. La misère naît du contexte socioéconomique, et on peut sentir une misère matérielle ainsi que mentale par rapport aux autres lorsqu'ils nous obligent à vivre selon le
«cheap way». Dans un entretien qu'il a eu avec Axel Maugey en 1980,
Memmi a dit qu'«il fallait analyser en détail la spécificité de la situation québécoise[5]» pour juger si le Québec a été vraiment colonisé,
et il nous a même confié la tâche de décrire la *spécificité* de notre
condition. Mais quelle est la *spécificité* du Québec par rapport à la
colonie classique? Au Québec comme, par exemple, dans la Tunisie
colonisée d'avant 1956, il n'y a que le duo classique : le colonisé et le
colonisateur, et nous vivons donc comme un «chiendent d'histoire
depuis deux siècles» («Séquences»). Memmi a pourtant dédié la nouvelle édition de 1966 du *Portrait du colonisé* «à [s]es amis Canadiens
français». Par là, il a suggéré, me semble-t-il, que les Québécois souf-
fraient d'une aliénation caractéristique des colonisés comme les Juifs,
les Noirs, et aussi certains peuples asiatiques, y compris vos ancêtres
dans la première moitié du XXe siècle.

Q. 2 — Avant de publier en 1966 cette nouvelle édition dédiée aux
Québécois, il a été invité au Canada par la télévision, et a pu rencontrer de jeunes intellectuels indépendantistes comme Gérald
Godin, Paul Chamberland, Jean-Marc Piotte et vous-même, soit à
Montréal, soit à Paris. Il a dit dans l'avant-propos à l'édition québécoise de 1972 que «[c]e fut le début d'une correspondance amicale et
passionnante avec [eux], dont quelques-uns devinrent des écrivains
connus». Mais, ce qui m'a étonné, c'est que la liberté de la presse et
de l'expression a été fort restreinte au Québec dans les années 1960.
Memmi a affirmé dans l'entretien avec Axel Maugey que «de jeunes
Québécois avaient publié une édition pirate du *Portrait du colonisé*;
ils le distribuaient gratuitement à la sortie des maisons d'enseignement», et D'Allemagne, le vice-président du R.I.N., de passage à Paris,
lui a appris que son livre «était imprimé et distribué clandestine-
ment[6]» au Québec. Et il a ajouté, «[...] je fus interviewé par la télévision canadienne dans le cadre de l'émission *Le Sel de la semaine*.
L'entretien ne passa jamais au petit écran... ».

4. Gaston Miron, *L'homme rapaillé. Poèmes 1953-1975*, texte annoté par l'auteur, préface de
    Pierre Nepveu, Montréal, l'Hexagone, 1994.
5. Axel Maugey, «Albert Memmi et le Québec. Du colonialisme à la dépendance», *Relations*,
    n° 461, 1980.
6. Dans la nouvelle édition québécoise du *Portrait du colonisé, op. cit.*, p. 138.

Chez nous aussi la censure a été imposée aux ouvrages marxistes tels que le *Capital* de Marx par le gouvernement autoritaire de la Corée du Sud, surtout dans les années 1970, car le Nord de la péninsule coréenne était dominé — et continue de l'être — par le régime communiste. La censure a été complètement levée à partir de la fin des années 1980, au moment où le gouvernement démocratique a été réinstauré dans la Corée du Sud. Il a jugé que tout ouvrage procommuniste ne pouvait plus nuire à la société sud-coréenne, même si sa lecture s'est répandue alors dans le pays. Vous, vous n'avez rien publié sous forme de livre avant la parution de *L'homme rapaillé* en avril 1970[7]. Étiez-vous inquiet de l'action insensée contre la liberté de pensée et d'expression, comme dans le cas de *Nègres blancs d'Amérique* de Pierre Vallières[8]? Au lieu de faire paraître vos poèmes de *L'homme rapaillé* dans une maison plus prestigieuse comme l'Hexagone dont vous êtes d'ailleurs un des fondateurs, vous avez choisi les Presses de l'Université de Montréal. Comme les établissements religieux, l'Université pouvait offrir aux intellectuels qui luttaient contre le pouvoir dominant un abri plus solide que d'autres maisons d'édition. C'était un peu le cas en Corée… En général, l'autorité ne veut pas s'attaquer aux lieux académiques comme les universités, ou sacrés comme les églises.

R. 2 — Il est vrai qu'«[a]u moment de la Crise d'octobre, et même bien avant, *Nègres blancs d'Amérique*, publié à Montréal en février 1968 par les Éditions Parti pris, figurait au rang des ouvrages interdits», comme le dit Pierre Vallières lui-même. Cela témoigne avec évidence de la tension entre les Québécois et les Canadiens anglophones, mais je ne suis pas du genre à m'inquiéter d'une telle chose insensée et inacceptable. La publication de *L'homme rapaillé* s'est faite à l'occasion de la remise du Prix de la revue *Études françaises*. «J'ai décidé d'accepter parce que c'était un prix indépendant, qui échappait à toute connotation partisane, politique ou idéologique. Je n'aurais pas accepté d'être cautionné, ou consacré par un prix qui aurait contredit ma démarche ou mon action ou mes prises de position ou mon éthique d'écrivain; c'est-à-dire mes exigences vis-à-vis la liberté et l'indépendance de l'écrivain[9].»

7. Gaston Miron, *L'homme rapaillé*, Montréal, Presses de l'Université de Montréal, «Prix de la revue *Études françaises*», 1970, 171 p.
8. Pierre Vallières, *Nègres blancs d'Amérique*, Montréal, Typo, 1994 [1968], 480 p.
9. Dans l'entretien avec Jean Royer, «Gaston Miron, l'homme rapaillé», *L'Action*, 18 avril 1970, p. 21.

Q. 3 — La Corée a aussi été colonisée par l'Empire japonais de 1910 à 1945. Quand on luttait contre le Japon, c'était évidemment en faveur du peuple. Il s'agissait donc d'une lutte de libération nationale. Mais les Québécois se sont comportés comme si la question concernait moins les peuples que les classes. Et les jeunes intellectuels dans les années 1960, surtout les partipristes (partisans de la revue *Parti pris*) ont choisi la pensée de Marx pour obtenir l'indépendance du pays. Dans le premier numéro de *Révolution québécoise* dont il était directeur, Pierre Vallières a dit, en critiquant le capitalisme, que « [l]a force agissante au sein du peuple québécois [est] bien la lutte des classes [10] ». D'après lui, l'ennemi véritable du Québec était le capitalisme, et la classe ouvrière était la seule classe nationale. Et Charles Gagnon, secrétaire à la rédaction de cette revue politique qui « veut être, en définitive, la conscience de classe de tous les travailleurs du Québec [11] » a considéré les enseignants comme un obstacle à la révolution québécoise. Mais le marxisme risquait de ne conduire le mouvement indépendantiste qu'à la lutte des classes et de le ramener donc au seul ordre socioéconomique. Peut-être fut-ce une des raisons pour lesquelles la revue *Parti pris* n'a pas pu durer plus longtemps. Vous avez dédié le poème « Le salut d'entre les jours » à Pierre Vallières et à Charles Gagnon, en les appelant « camarades »... Étiez-vous d'accord avec l'engagement de *Parti pris* et de *Révolution québécoise* en faveur de l'indépendance du pays ?

R. 3 — Tout d'abord, et pour vous répondre sans détour, je répéterai ici ce que j'ai dit ailleurs il y a longtemps : « Mon père ne voyait pas dans son patron qui était anglais le représentant d'une classe bourgeoise qui l'exploitait ; il voyait l'autre, le dominateur : "C'est un Anglais [12] !" » Il n'y avait pas de lutte marxienne, mais celle des dominés pour retrouver leur pays. Pierre Elliott Trudeau nous a ridiculisés en nous appelant « contre-révolutionnaires », « petits-bourgeois de demain [et] d'aujourd'hui [13] ». Oui, c'est vrai, j'ai dit *camarade* (j'ai d'ailleurs intitulé un poème « Le camarade »). Je sais que ce fut « aux

---

10. Pierre Vallières, « Le nationalisme québécois et la classe ouvrière », *Révolution québécoise*, n° 1, septembre 1964, p. 12.
11. Charles Gagnon, « Présentation », *ibid.*, p. 6.
12. Gaston Miron, « Entretien avec Jacques Picotte », repris dans *L'avenir dégagé. Entretiens 1959-1993*, édition préparée par Marie-Andrée Beaudet et Pierre Nepveu, Montréal, l'Hexagone, 2010, p. 127.
13. Pierre Elliott Trudeau, « Les séparatistes : des contre-révolutionnaires », *Cité libre*, n° 67, mai 1964, p. 4.

camarades de *Parti pris*[14] » que l'équipe de *Révolution québécoise* a tendu une main fraternelle en vue de l'unité d'action politique. J'ai connu Pierre Vallières en 1956, alors que je dirigeais le service des ventes chez Beauchemin. Il y venait souvent pour acheter des livres, et nous allions souper au restaurant *Saint-Louis*, rue Saint-Denis. Beaucoup plus tard, dans son livre *Nègres blancs d'Amérique*, il s'est souvenu qu'il me devait « d'avoir appris à connaître et à aimer la poésie contemporaine, ainsi que la littérature des colonisés (Aimé Césaire, les poètes algériens, Pablo Neruda, etc.) ». Si je l'appelle *camarade*, c'est dans le cadre de la dimension postcoloniale, et, plus concrètement, c'est pour référer à un homme appartenant au « peuple abîmé » dont j'ai parlé dans mon poème « Héritage de la tristesse ». Quand j'ai publié ce poème le 15 novembre 1955 dans le journal *Le Devoir*, son titre était « Des pays et des vents », et, dans sa version de 1958 (que j'ai expédiée à Claude Haeffely), le poème commence ainsi : « Souvenez-vous souvenez-vous / des pays qui sont seuls avec eux-mêmes / et que jamais le soleil ne rejoint ». Le *Discours sur le colonialisme* d'Aimé Césaire m'a beaucoup influencé et a joué dans sa rédaction. Le poème « Le salut d'entre les jours » que j'ai dédicacé aux militants du mouvement indépendantiste québécois a paru en 1968 dans *Parti pris*, revue se rattachant à la tradition marxiste-léniniste. Nommer « camarades » des militants comme Pierre Vallières et Charles Gagnon a pourtant moins à voir avec les révolution-naires du prolétariat que les membres de la fameuse « engeance nationaliste[15] ». C'est ainsi que Trudeau nous appelait, moi et Pierre Vallières, entre autres, dans un article de *Cité libre*. Le saviez-vous? Le mot *engeance* de Trudeau est méprisant à notre endroit, et « [c]e mépris a provoqué en moi de l'indignation et de la colère[16] », ce qui m'a poussé à écrire le poème « Les années de déréliction ». Là, j'ai dit « [...] je suis devenu [...] / une engeance qui tant s'éreinte et tant s'esquinte / à retrouver son nom, sa place et son lendemain / jusqu'à s'autodétruire en sa légitimité même ». C'est triste, n'est-ce pas? Car nous, *les camarades*, sommes seulement « armés de désespoir » (« La route que nous suivons »), celui du pays (*rires*) — pays « que le soleil un jour rejoindra » (« Des pays et des vents »).

14. L'article de Jean Rochefort, « Aux camarades de *Parti pris* », *Révolution québécoise*, n° 3, novembre 1964, p. 12-16.
15. Pierre Elliott Trudeau, *loc. cit.*, p. 2.
16. Dans l'édition de 1994 de *L'homme rapaillé*, *op. cit.*, p. 81.

Q. 4 — Le soleil l'a-t-il rejoint ? Ou pas encore ? Et il me semble que vous avez donné tant d'importance à « Des pays et des vents » que vous avez jugé bon d'en dire en 1958 dans la lettre à Claude Haeffely que « c'est le seul poème à proprement parler que j'ai écrit dans ma vie et je suis convaincu que c'est aussi le dernier[17] ». Mais en 1953 *Deux sangs* a déjà paru, et vous aviez publié plusieurs poèmes dans *Amérique française* et dans *Le Devoir*, tels que « Self-défense » et « Jeune fille », entre autres.

R. 4 — Je me suis beaucoup attaché à « Des pays et des vents ». J'ai dit à mon ami Claude, « [c]e n'est plus un poème ». Ce devait être une forme authentique de l'écriture sur notre existence elle-même. Avant de le publier en 1955, je le lui ai envoyé dans ma lettre du 21 septembre 1954 avec deux autres poèmes jugés par moi-même « petits [et] un peu plus dilués ». Et, après sa publication dans *Le Devoir* en 1955, je lui en ai montré une autre version considérée alors comme « définitive ». Mais, tout de suite, j'ai corrigé le début et la fin du poème. Par la suite, quand le poème est paru en 1963 dans le numéro 27 de la revue *Liberté*[18] et plus tard dans « Écrivains du Canada », pour le numéro spécial des *Lettres Nouvelles* dont le directeur était Maurice Nadeau[19], le titre était devenu : « Tristesse, ô ma pitié, mon pays ». Ce fut une version fort différente des précédentes. J'ai écrit en 1958 à Claude Haeffely qu'« [e]n ce qui concerne *Des pays et des vents*, il y [avait] peut-être cent versions ». Vous m'avez demandé si le soleil a rejoint le pays comme je l'espérais dans une version du poème. Mais dans *L'homme rapaillé* de 1970, on ne trouve pas de vers comme « des pays que le soleil un jour rejoindra ». Et je n'y parle pas non plus de « pays que jamais le soleil ne rejoint ». Il y a uniquement « un pays que jamais ne rejoint le soleil natal ». Le saviez-vous ? Le mot *natal* ne signifie pas seulement le pays où l'on naît, mais aussi le pays où l'on va s'épanouir. Le soleil *natal* a donc un sens ambigu... Quand Aimé Césaire a commencé à écrire en 1936 le *Cahier d'un retour au pays natal*, bien avant son retour trois ans plus tard, après son séjour parisien, la Martinique était pour lui un lieu où naître, où vivre et où mourir aussi, et où il retrouverait la négritude. L'on a beaucoup associé le thème du « retour » au *Cahier* de Césaire, et

---

17. Gaston Miron et Claude Haeffely, *À bout portant. Correspondance de Gaston Miron à Claude Haeffely 1954-1965*, Montréal, Leméac, 1989, 174 p.
18. Gaston Miron, « La vie agonique », *Liberté*, n° 27, mai-juin 1963.
19. Gaston Miron, « La vie agonique », *Lettres Nouvelles*, numéro spécial consacré aux « Écrivains du Canada », décembre 1966-janvier 1967.

il nous faudrait maintenant réfléchir sur le mot « natal » pour lui et pour nous tous, c'est-à-dire le lieu même où se déroule *notre poésie*, et finalement *notre existence*.

Q. 5 — Jean-Paul Sartre, pour qui Aimé Césaire est l'*Orphée noir*, dit « [p]our nos poètes noirs, au contraire, l'être sort du Néant comme une verge qui se dresse ; la Création est un énorme et perpétuel accouchement[20] ». Quant à vous, vous avez écrit en 1958 dans une lettre à Claude Haeffely : « Aimé Césaire accepte d'être un Noir jusqu'aux os, accepte ses atavismes, etc. Afin de retrouver ses sources primitives, inaliénables. J'accepte tout ce que je suis, ce qu'on m'a fait, parce qu'autrement, c'est me détruire. Oui, après le néant de dix ans, je vais me reconstruire à partir de mes déterminismes. »

R. 5 — Dans la pensée bouddhique que vous devez connaître beaucoup mieux que moi, le *néant* ne pourrait-il pas être considéré comme le *vide* ? Il ne signifie pas le *rien*, mais un autre monde plus profond qu'un état d'esprit s'attachant à la possession, au désir ou à l'achèvement, n'est-ce pas ? J'étais dans ce type de néant, disons, dans un esprit calme mais pas trop calme (*rires*), dans le sens où vous avez critiqué ce mot *calme* tout à l'heure. Un être égaré, déchiré et *éparpillé* ne pouvant trouver son identité. Dans mon livre, je voulais montrer « comment [cet] homme épaillé, c'est-à-dire éparpillé, s'est reconstitué morceau après morceau, et comment il a mené sa quête d'identité et dépassé l'aliénation[21] ».

Q. 6 — Parlons de Jacques Berque. Vous avez rencontré Jacques Berque de passage à Montréal en 1962 — « [...] il passait quelques mois au Québec, à titre de professeur invité au département d'Anthropologie de la Faculté des Sciences Sociales, à l'Université de Montréal[22] ». Vous avez accordé un *« oui, à jacques berque »* dans le texte de « Notes sur le non-poème et le poème[23] ». Depuis cette rencontre avec le futur auteur de *Dépossession du monde*, surtout à partir de 1963, vous avez publié dans la revue *Liberté* beaucoup de poèmes qui appartiennent

20. Jean-Paul Sartre, *Orphée noir*, Paris, Presses Universitaires de France, 1969, p. XXXIII.
21. Yrénée Bélanger, *Chronologie de Gaston Miron (1926-1983)*, Montréal, Centre d'études québécoises (CÉTUQ), coll. « Nouveaux cahiers de recherche 2 », 1987, p. 31.
22. Note de l'éditeur de *Parti pris* pour l'article de Jacques Berque, « Les révoltés du Québec », paru à l'origine dans *France Observateur*, repris dans *Parti pris*, n° 3, décembre 1963, p. 48.
23. Gaston Miron, « Notes sur le non-poème et le poème (extraits) », *Parti pris*, vol. 2, n°s 10-11, juin-juillet 1965.

au cycle poétique de *La vie agonique*. Ces publications abondantes ont-elles été faites sous l'influence de sa théorie sur la liberté pour le Maghreb ? Il a dit dans *France Observateur*, un des principaux journaux de gauche français, que « [l]e Québec [...] livre à l'historien le cas spécial d'une colonisation sur *Great Whites*[24] ».

R. 6 — *Great Whites ?* Oui, peut-être. Mais *Great Whites* de l'Europe devenus *Nègres blancs d'Amérique*, dont l'altérité se définit, comme l'a dit Jacques Berque, « par une triple réserve ou une triple exception : canadien, oui, mais français : français, mais d'Amérique ; américain, mais en victime plus qu'en bénéficiaire ». J'ai cru que, à partir de 1963, le destin de la poésie canadienne-française était terminé, et que c'était la poésie québécoise qui commençait à agir dans l'histoire. Avant 1963, le poème était empêché. C'était pour cela, peut-être, que j'étais convaincu en 1958 de dire : « Des pays et des vents » serait le dernier poème. Quant à « Notes sur le non-poème et le poème », je l'ai écrit pour la revue *Parti pris*. Il a paru dans un numéro spécial de juin-juillet 1965 intitulé « La difficulté d'être québécois ». Dans mon texte « Un long chemin », publié en janvier 1965 dans un autre numéro spécial de *Parti pris*, « Pour une littérature québécoise », j'ai d'ailleurs parlé de *Dépossession du monde,* « un petit essai sur la décolonisation [...] où [Berque] [a] tenu par deux fois à mentionner le Québec[25] ». En dehors de cet ouvrage et de *Les Arabes d'hier à demain*, entre autres, son article intitulé « Les révoltés du Québec », repris dans *Parti pris,* m'a également beaucoup intéressé. À cette époque-là, les paroles de la poésie étaient des outils pour la résistance et la révolte (je crois qu'ils devraient l'être aujourd'hui encore, même si j'ai dit avoir dépassé l'aliénation). Paul Chamberland a toujours raison d'avoir annoncé dans l'éditorial du numéro 8 de *Parti pris* que « La révolution, c'est le peuple[26] ».

Q. 7 — Mais votre lutte pour la *décolonisation* du pays était littéraire et existentielle. Vous avez nommé *le non-poème*, « [votre] tristesse ontologique », « la souffrance d'être un autre », « les conditions subies sans espoir de la quotidienne altérité » et « [votre] historicité vécue par substitutions ». Vous admettez ainsi une autre partie de l'existence québécoise — partie qui pourrait être *poème* « contre le

---

24. Jacques Berque, « Les révoltés du Québec », *loc. cit.*, p. 50.
25. Jacques Berque, « Une lettre de Jacques Berque », *Parti pris*, n° 6, mars 1964, p. 24.
26. Paul Chamberland, « La révolution, c'est le peuple », *Parti pris*, n° 8, mai 1964, p. 2.

non-poème » et « en dehors du non-poème ». De cette conscience, les paroles commencent à révéler l'historicité de la poésie, mais à travers leur rythme populaire et leur beauté lyrique. Meschonnic analyse vos poèmes dans ce sens. D'après lui, ils ne sont pas seulement épiques, mais ils effacent la frontière entre la poésie d'engagement politique et celle de l'intime. Il a dit plus précisément, « s'il y a, aujourd'hui, une poésie qui réduit à rien les idées toutes faites sur le lyrisme, sur l'épopée, et sur leur opposition, c'est bien la poésie de Gaston Miron[27] ». Qu'en pensez-vous ?

R. 7 — Tantôt il a bien lu mes poèmes, tantôt très mal (*rires*)... *J'avance en poésie !* Comme je l'ai dit dans *Le Devoir* du 13 avril 1970, « la littérature engagée n'existe pas. C'est un néologisme. Avant 1945, ça n'existait pas. Est-ce que les Encyclopédistes étaient engagés ? Est-ce que Malraux était engagé ? On colle cette étiquette aux écrivains de gauche pour les déconsidérer [...]. Seul le texte est vraiment engagé [...] ». Je vous confirme que ma poésie s'est arrêtée en 1970, au moment où la vague indépendantiste a atteint un sommet. Elle continue pourtant à témoigner de sentiments propres aux Québécois, tels que tristesse, angoisse, révolte, déception et... « espoir de terrain vague » (« Héritage de la tristesse »), venant de leur histoire de « chiendent d'achigan » (« La marche à l'amour ») — on peut penser en quelque sorte au *ressentiment* des Juifs, même si l'aliénation au Québec « provoque des ressentiments plus complexes », comme l'a dit Jacques Berque dans son article paru dans *Parti pris*.

Q. 8 — La formule fameuse d'Adorno, « écrire un poème après Auschwitz est barbare[28] », on la comprend dans le sens où la poésie n'a en rien contribué au développement de l'histoire, en ne chantant que les sentiments intimes de l'individu par ses paroles lyriques. Cette thèse sur la poésie lyrique a été débattue par une autre formule de Paul Celan qui « répond à la provocation de l'interdit d'Adorno, en développant une poésie qui n'est pas celle de l'après-Auschwitz, mais qui est *d'après Auschwitz*, d'après les camps, d'après l'assassinat de la mère, d'après les chambres à gaz, au sens où d'après veut également dire *en fonction de*[29]... ». Vos vers tels que « [c]e corps noueux / ce

---

27. Henri Meschonnic, « L'épopée de l'amour », *Études françaises*, vol. 35, n°s 2-3, 1999, p. 98.
28. Theodor W. Adorno, *Prismes. Critique de la culture et société*, trad. de l'allemand par Geneviève et Rainer Rochlitz, Paris, Payot, 2003, p. 26.
29. Jean-Pierre Lefebvre, « Préface », dans Paul Celan, *Choix de poèmes* réunis par l'auteur, traduction et présentation de Jean-Pierre Lefebvre, édition bilingue, Paris, Gallimard, 1998, p. 19.

regard brisé / ce visage érodé » (« Ce corps noueux ») nous rappellent un être tragique dans un camp de concentration. Je pense que les sentiments québécois dont vous venez de parler pourraient être pourtant interprétés moins par ce *ressentiment* juif que par ce qui est appelé *han* [한, 恨] en Corée. C'est un sentiment spécifique des Coréens qu'il nous est difficile de définir en quelques mots. Il exprime notamment une tristesse qui n'est pas individuelle mais collective — tristesse attribuable aux aléas de la vie et de l'histoire. Ce sentiment de « détresse et désarroi et déchirure » (« Au sortir du labyrinthe »), mêlé de souffrance et de résignation s'accompagne toujours d'espérance refoulée ou de gaîté déguisée dans certaines situations.

R. 8 — Interpréter notre *héritage de la tristesse* selon la poétique du *han* coréen, cela me paraît très intéressant et aussi très curieux. Je ne sais trop si mes poèmes ont un rapport avec ce concept culturel coréen de la mélancolie, mais, bien qu'il soit question de la situation du Québec, *L'homme rapaillé* pourrait se trouver en résonance avec celle de la Corée, d'autant plus que vous me dites avoir vécu une sorte de *Grande Noirceur* à l'époque de la colonisation japonaise.

Q. 9 — Quand j'ai traduit en coréen quelques poèmes de *L'homme rapaillé*, votre compagne, Marie-Andrée Beaudet, m'a écrit que « la tristesse que vous relevez très justement dans sa poésie (l'on peut également parler de souffrance) s'accompagne cependant toujours d'espérance ». Cela m'a encouragé à lire vos poèmes selon notre propre sentiment.

R. 9 — Marie-Andrée vous l'a dit ? Oui, c'est vrai. Le *je* lyrique dans *L'homme rapaillé* était d'abord un être triste, mais à travers *la vie agonique* il a fait sa *marche à l'amour* pour trouver enfin le « monde insoupçonné, uni, sans dissidence » (« Pour retrouver le monde et l'amour »).

Q. 10 — Dans votre marche vers ce monde-là, à côté de vous il y a toujours un *tu* qui renvoie à une fille ou à une femme, n'est-ce pas ? Dans la poésie coréenne, la *sœur* appelée en coréen *nunim* joue également un rôle très important. Elle n'est bien évidemment pas une sœur religieuse, ni une amante qui serait invitée à accompagner le poète dans son voyage en un pays idéal et inexistant comme dans « L'invitation au voyage » de Baudelaire, mais un être qui vient lui tendre une main secourable et apaiser son mal de l'histoire — mal des intellectuels coréens qui n'ont pas pu sortir d'un nihilisme profond dans les années 1950 et 1960. Lisez ces vers du poète coréen Ko Un, que j'ai traduits avec Gilles Cyr (que vous connaissez bien) : « Ma sœur arrive et s'assoit à mon chevet // elle voit un sentiment renfermé / dans le flacon d'hydracide // dans la cour le magnolia dépérit / au ciel qu'on aperçoit de la fenêtre un long soupir disparaît[30]. » Cette *nunim* [누님] ressemble-t-elle au *tu* de votre poésie ?

R. 10 — Le poète coréen serait-il heureux d'être consolé par un être comme la Vierge Marie ? Tandis que votre douce *nunim* vous tend sa main salvatrice, la compagne de l'*homme rapaillé* est plus exactement celle qui l'accompagne dans son voyage à l'amour. Van Schendel a dit que « le mot *Québec* [était] depuis 1837 le nom d'une maladie[31] ». Certes, depuis le traité de Paris, on était malades, comme le dit Jacques Berque, et comme je le dis moi : « relégué, frustré, abandonné, [...] [d]'où l'accent noir de [m]a poésie », « ma poésie le cœur heurté / ma poésie de cailloux chahutés » (« Ma désolée sereine »). Mais dans ma poésie, c'est plutôt le *je* lyrique *lui-même* qui devrait dire à sa compagne : « je t'attends dans la saison de nous deux » (« Je t'écris »), « je veux te faire aimer la vie notre vie » (« La marche à l'amour ») et « nous serons tous deux allongés comme un couple / enfin heureux dans la mémoire de mes poèmes » (« Jeune fille »). Il me semble que votre *nunim* a les mains fortes comme « les mains de Jeanne-Marie » de Rimbaud, même si elle n'est pas révolutionnaire. Or, ma compagne « plus belle que toutes nos légendes » (« Jeune fille ») est également « malade d'un cauchemar héréditaire » (« Notes sur le non-poème et le poème (extraits) »)... Moi, j'attends en quelque sorte un être comme votre *nunim* qui vient guérir le *han* des poètes coréens. J'espère que « nos légendes » ne seront pas seulement belles, mais fièrement porteuses des temps et lieux qui les auront produites. Et je n'attendrai pas « les chameaux qui ne viennent pas », comme a dit Rimbaud agonisant sous une pluie battante dans le désert abyssin... Nos « chameaux » nous viendront...

---

30. Ko Un, *Sous un poirier sauvage*, trad. du coréen par Han Daekyun et Gilles Cyr, Belval, Éditions Circé, 2004, p. 9.
31. Michel van Schendel, « La maladie infantile du Québec », *Parti pris*, n° 6, mars 1964, p. 25.

JACQUES RANCOURT

LE POÈTE
ET SA LANGUE

Qu'entend-on par «langue d'un poète»? S'agit-il de la langue géné-
rale dans laquelle il s'inscrit (le français, l'italien, le chinois...), d'une
variante particulière, orale ou écrite, de cette dernière (le québécois, le
sicilien, le cantonais), ou plus spécifiquement de l'espace linguistique
qu'il s'est lui-même creusé à l'intérieur des deux premières?

La question a été posée lors d'une table ronde sur le thème «Le
poète et sa langue / Le poète est sa langue», organisée par la Biennale
internationale de poésie à Liège en octobre 2010, à laquelle j'ai été
invité à participer.

J'ai choisi personnellement d'y répondre en analysant l'environne-
ment à la fois affectif, intellectuel et civilisationnel à l'intérieur duquel
un poète peut faire émerger sa propre langue; et j'ai adopté pour cela
un triple point de vue: celui des rapports entretenus par chacun avec
sa langue maternelle et plus largement avec sa langue de culture; celui
des conditionnements imposés par toute langue dans l'élaboration de la
pensée et de l'écriture; et celui, enfin, à l'intérieur même de la langue
française, de disparités consécutives à des différences géographiques,
historiques et culturelles. Voici donc le texte de mon intervention.

S'agissant d'aborder la question du poète et de sa langue, j'aimerais commencer par le commencement, par la langue maternelle avant la langue poétique, tant la première me paraît conditionner fortement la seconde. Et, à l'intérieur de cette même langue maternelle, quelle qu'elle soit, j'aimerais distinguer deux stades successifs : la langue orale, celle que nous recevons bien avant d'apprendre à écrire, que j'appellerai ici *natale*, et la langue dans laquelle se fait notre éducation, langue d'ouverture sur le monde, que j'appellerai *langue de culture*.

Langue natale, langue des origines

Par *langue natale*, je veux évoquer essentiellement la langue dans laquelle nous sont proposés nos premiers accès au monde, et où se font nos premiers balbutiements : la langue parlée au-dessus de notre berceau, en famille, entre voisins, puis dans la cour de l'école. C'est cette langue qui nous imprègne d'abord, avec son vocabulaire, bien sûr, mais aussi son phrasé, sa musicalité, ses raccourcis dans l'humour, dans la violence ou dans l'expression des émotions, avec enfin son savoir-faire quant à la création de liens directs, ou au contraire de mise à distance, entre interlocuteurs.

Né au Québec, dans une petite ville des Cantons-de-l'Est dénommée Lac-Mégantic, je reste encore aujourd'hui tributaire de cette langue parlée de mon enfance, de la façon dont un garçon du voisinage m'appelait à l'heure du repas pour aller jouer dans la rue avec lui, tributaire de la tendresse ou parfois de la dureté déployée dans la voix de ma mère, de mon père, de mes premiers maîtres à l'école, tributaire de ces intonations qui m'ont façonné comme on façonne l'argile... Ces intonations ressurgissent quelquefois dans mes rêves, et je m'attache d'ailleurs à les retrouver, même très légèrement, quand je prépare une lecture de poèmes, afin de parler juste. C'est mon *la*, la référence qui, comme poète, rend possible mon accord avec le monde.

Langue maternelle : de la langue de culture...

Le deuxième stade de la langue maternelle que j'ai évoqué est la *langue de culture*. Sans tourner le dos au premier, il offre un accès autrement plus riche à la connaissance et à une objectivation du monde. C'est à la fois la langue écrite, celle de l'enseignement, celle des échanges sociaux et intellectuels, et puis cet immense réservoir que constituent vocabulaire, syntaxe, tournures de phrases, et, au-delà, tout le savoir déjà apprivoisé par cette langue à travers temps et lieux. Un réservoir infini, assurément.

Le poète, comme tout locuteur, est redevable envers cette langue pour l'ouverture sur le monde qu'elle propose. Mais il est aussi dépendant des limites qu'elle comporte en tant que grille de lecture de ce même monde. Aucune langue, en effet, n'est neutre ni universelle. Chacune opère un certain nombre de choix, fait des impasses dans sa manière de décrire le réel. Et sécrète, insensiblement, sa propre culture.

... à la culture des langues

On peut se demander, par exemple, quant aux particularités des langues :

— Si l'attribution d'une majuscule à tous les substantifs, en allemand, ne favorise pas implicitement une vision substantialiste de la réalité;

— Si, par rapport notamment à l'anglais, l'attribution par le français et les langues latines du féminin et du masculin à des êtres inanimés n'introduit pas une distorsion dans la perception du réel;

— Quelle incidence sur la relation au monde peut avoir en arabe, en slovène et en polynésien la présence d'un pronom personnel duel (*nous deux, vous deux, eux deux*), intermédiaire entre le singulier et le pluriel;

— Quel rôle joue dans le développement de l'esprit, en espagnol, le fait de disposer dès l'enfance de deux verbes *être*, l'un pour les choses essentielles, l'autre pour l'accidentel : *ser* et *estar*;

— Ou encore quelle influence sur l'organisation de la pensée et la perception du temps peut avoir en chinois l'absence de mots abstraits, de verbes conjugués, et de temps verbaux autres que le présent de l'infinitif.

Bref, si *maternelle* que soit une langue, elle ne dispense pas à ses enfants tout à fait le même lait que ses voisines. Elle ne le fait d'ailleurs pas non plus entre ses propres enfants, suivant qu'ils sont nés plus ou moins près du sein nourricier.

Langue natale et langue d'écriture

Québécois, belges, suisses ou français, africains ou libanais, nous sommes à la fois de la même langue et nous n'en sommes pas. Des contextes historiques et géographiques nous distinguent, des usages aussi, et notamment des expressions idiomatiques. Comment départager entre elles, par exemple, les expressions *un sac à vent* et *une manche à air*, qui mot à mot pourraient remplir le même office, celui d'exprimer la puissance et la direction du vent, autrement que par la connaissance d'usages linguistiques avérés? Qui d'autre qu'un Québécois sait d'emblée que *c'est de valeur* signifie *c'est dommage*? Et ainsi de suite. J'ai souvent remarqué que mon ami Tchicaya U Tam'si employait les mots bien davantage dans leur sens étymologique, et pour cause, que dans leur acception hexagonale. Dans ses romans comme *Les méduses* ou *Les cancrelats*, similairement, il pensait en bantou et pliait la langue française à la syntaxe de sa langue natale, comme Ahmadou Kourouma a pu le faire entre le français et le malinké dans *Les soleils des indépendances*, chacun réinventant ainsi avec *sa langue natale* une langue d'écriture qui n'était pas vraiment *maternelle*...

Ces derniers exemples donnent à penser que plus grand est l'écart entre langue natale et langue d'écriture reçue ou choisie, plus important sera l'effort de synthèse à réaliser par le poète pour donner naissance à sa propre langue. Dans la première moitié du siècle dernier, on a vu, aux Antilles françaises, en Haïti et en Guyane, des poètes comme Joseph Zobel, Gilbert Gratiant, Anthony Lespès et Léon-Gontran Damas opérer ainsi un rapprochement entre le français et le créole. Aujourd'hui encore, des poètes tels Max Rippon, Monchoachi et Assunta Renau-Ferrer poursuivent ce rapprochement.

Au Québec, où, comme aux Antilles, avait prévalu jusqu'au début du XXe siècle la pratique d'une écriture poétique imitant le vers classique ou romantique français, l'accès à une poésie originale s'est fait à travers la prise de parole à l'intérieur même du poème, lequel se trouvait ainsi bousculé dans son contenu trop conventionnel. Le critique Georges-André Vachon a noté, à propos de l'œuvre d'Émile Nelligan, écrite entre 1895 et 1899 : «Le pathétique des poèmes de Nelligan vient peut-être de ce qu'ils sont si livresques, et qu'on les

sente en même temps si près d'accéder au statut de choses vivantes[1].»
Or, avec la génération suivante des Jean-Aubert Loranger, Hector
de Saint-Denys Garneau et Anne Hébert, le poème acquiert précisément le statut de *chose vivante*. Sans tourner le dos pour autant
aux acquis de la prosodie (rythmique, assonances, musicalité, poly-
sémie, etc.), le poète, désormais, fait entrer dans le poème l'oralité
et la réflexion à voix haute, il *parle* dans ses poèmes. Et ce parler, s'il
n'épouse pas tout le vocabulaire de la langue populaire québécoise
ou canadienne-française de l'époque, en adopte néanmoins le chemi-
nement sinueux, inventif, ludique même, loin d'une culture du *mot
juste* pratiquée avec maîtrise sur l'autre rive de l'Atlantique. Citons
simplement un exemple de cette prise de parole, la «Réponse à des
critiques[2]» de Saint-Denys Garneau, où l'angoisse ontologique trouve
son expression à même la crudité du propos :

> La vie n'est pas drôle on se connaît
> On n'avale pas de l'air pendant vingt ans sans roter à la fin
> On n'est pas tous bien habités comme un estomac satisfait
> Avec des présences en dedans bien au chaud
> On n'est souvent qu'une bouche ouverte par la faim
> Bouche ouverte comme une ouverture dans un mur
> On ne sait pas bien si l'on entre ou si l'on sort
> De quel côté est dedans ou dehors
> Des deux côtés on est happé par le vide

Autrement dit, pour que l'on puisse parler d'un poète et de *sa*
langue, il faut que ce dernier ait réussi à dompter sa langue, langue
maternelle et langue d'écriture, qu'il ait appris à habiter sa langue. À
cette condition seulement pourra s'appliquer véritablement le double
intitulé de cette rencontre : «Le poète *et* sa langue / Le poète *est* sa
langue». Et l'on pourra dire : «C'est du Miron, du Meschonnic, ou
du Michaux», comme on dit : «C'est du Malher, du Boulez ou du
Xenakis.»

1. Georges-André Vachon, «Les aînés tragiques», *Europe,* numéro spécial «Littérature du Québec», n°s 478-479, février-mars 1969, p. 31.
2. Hector de Saint-Denys Garneau, *Poèmes retrouvés* dans *Œuvres*, Montréal, Presses de l'Université de Montréal, 1970, p. 202.

ROBERT RICHARD

THE STRANGE TONGUES MY MOTHER TONGUED[1]

> Les mots étrangers sont les juifs du langage.
> THEODOR W. ADORNO, *Minima moralia*

La question pouvait se poser pour notre entretien d'aujourd'hui : en quelle langue tenir ce débat ? En anglais ou en français ? Ce dilemme rappelle l'âne de Buridan. On se souvient de cette fable du XIVe siècle qui n'est au fond qu'une caricature de la théorie de la liberté de Jean Buridan : l'âne, selon la fable, se trouve à égale distance d'un seau d'eau et d'un picotin d'avoine ; incapable de choisir entre le boire et le manger, l'âne se laisse mourir.

Mais n'ayez crainte : je ne vous ferai pas le coup ici. Je ne vous laisserai pas en plan. Je ne resterai pas figé, à égale distance du français et de l'anglais, dans un état d'aphonie, incapable d'ouvrir la bouche. Du reste, contrairement à l'âne, j'aurais déjà fait mon

---

1. Communication prononcée à l'Université de Bologne, le 4 mai 1998, dans le cadre d'un débat organisé par le Centre d'études québécoises (*Centro di Studi Quebecchesi*). J'avais été invité, avec Nancy Huston, pour débattre de l'écriture bilingue. Je venais de publier un roman dans les deux langues : *Le roman de Johnny*, aux éditions The Mercury Press à Toronto, et *Le roman de Johnny*, chez Balzac-Le Griot. Une première version de cette communication a été publiée dans la revue *Francophonia*, nº 36, Florence, Olschki Editore, printemps 1999, p. 93-99. J'ai effectué ici des modifications mineures au texte tel que publié dans *Francophonia*.

choix : vous êtes à même de constater que je suis là, devant vous, à m'exprimer en français.

Remarquez que l'âne de Buridan, tout âne qu'il soit, est bilingue : la fable précise qu'il est « assoiffé » et « affamé ». Appelons cela le bilinguisme des besoins alimentaires. Effectivement, on alimente son corps de deux façons : par le boire et par le manger. Le corps assimile ces deux substances (le liquide et le solide) pour les transformer et, de fil en aiguille, en extraire les vitamines, les protéines, les minéraux nécessaires à la vie. La santé du corps, sa survie, en dépend. De même en est-il de ce corps subtil qu'est notre âme. Mais celle-ci est, il faut l'avouer, infiniment plus vorace, s'alimentant à une quantité insoupçonnée de langues. De fait, notre âme — ce qu'une certaine modernité appellerait plus volontiers le sujet de l'inconscient ou sujet du désir — ne peut assurer sa survie qu'en absorbant, en dévorant, des masses toujours plus importantes de langues.

Bien sûr qu'on peut commencer par rappeler les niveaux de langue avec lesquels tout écrivain a à composer : parler populaire, patois, langue de bois, langue de fer, langue de Grevisse, langue d'académicien, langue de conférencier, langue ou discours d'amoureux — sans oublier les réalités linguistiques croisées que sont le pidgin, le sabir, le créole... Puis, on l'oublie trop souvent, chacune de ces langues possède une histoire à laquelle l'écrivain ne peut rester insensible. Parce qu'une langue, c'est ça aussi : une histoire. Le mot français *wagon* vient de l'anglais *wagon*, qui, à son tour, vient du néerlandais *wagen*, et ainsi de suite à travers un dédale sans fin de langues, à travers les siècles et les siècles.

Oui, bien sûr, me dira-t-on, mais dans tout ça, parmi tous ces niveaux de langue, et malgré le réel historique et très complexe, très enchevêtré, des emprunts, il y a une entité linguistique qui revêt une importance particulière dans la vie de chacun de nous. Je parle de la langue dite « maternelle ». C'est en français, il est vrai, que ma mère me parlait quand j'étais *infans*. C'est dans la langue de Molière, version québécoise — version Maniwaki[2], devrais-je préciser —, qu'elle

2. Maniwaki est une petite municipalité — dix mille âmes, à l'époque de mon enfance — située au nord de la rivière Gatineau, à proximité du territoire algonquin de Kitigan Zibi. Mon grand-père maternel, André Nault, hôtelier de profession, parlait couramment la langue algonquine. Je vivais donc dans un hôtel — l'*Hôtel Central*, pour rappeler son nom ici. Des gens venaient de partout pour y loger, question de se trouver un Amérindien qui servirait de guide, question d'aller faire la chasse au grand gibier plus au nord. J'avais donc l'occasion d'entendre quantité de langues dans le hall de cet hôtel : le français bien sûr, mais aussi l'américain, l'algonquin (les « Indiens de la barrière », comme on les appelait, venaient parfois dans leur costume traditionnel haut en couleur). Puis, il y avait la violence et la

me grondait, qu'elle traduisait pour moi du mieux qu'elle pouvait les réalités du monde qui m'entourait. Le mot français *bazar* que je pouvais entendre de la bouche de ma mère, est-ce qu'elle le savait, elle, qu'il transportait avec lui une certaine saveur propre au mot persan *bâsâr* dont il est issu? Bien sûr que non. Puis, de quelle langue oubliée ce mot persan *bâsâr* venait-il? Tant et tant de langues que le français de ma mère charriait dans son cours... Quant à mon père, il se débrouillait, mais plutôt difficilement, dans un anglais relativement rudimentaire, du moins à l'époque de mon enfance. À cause de ce vécu empirique de père et mère, ce serait non pas l'anglais, mais le français qui serait ma «vraie» langue, *ma* langue maternelle.

Il y a sans doute du vrai dans cela. Mais c'est précisément ce «vrai» que l'écrivain en moi doit refuser. En fait, il en va moins d'un refus en tant que tel que de ceci : l'écrivain doit, il me semble, marquer une distance par rapport à sa langue maternelle, il doit s'en méfier. Il doit se défier du bien-être — la douce euphorie — dont elle est porteuse, comme s'il en allait de l'appel des sirènes. Sans quoi, le danger est de demeurer le fils de sa langue, l'enfant de sa langue...

Qu'est-ce à dire? L'écrivain, selon moi, ne doit pas être à l'écoute de ce qui est familier dans la langue : il doit plutôt être attentif au fond d'étrangeté propre à toute langue. Une langue, c'est une bien drôle de chose, en ceci qu'elle est sans quiddité propre. On trouve toujours, dans une langue donnée, les traces d'innombrables langues, à l'exception des traces relevant de la langue en question. Une langue est toujours vide d'elle-même : elle est dépourvue d'un *soi* consistant, dépourvue d'un *en-soi* (pour parler comme les philosophes), elle est sans identité, sans noyau, habitée qu'elle est par la seule loi de la série. Je m'explique. Dans le français, dans ce qu'on appelle «le français», on trouve les résidus de quantité de langues, à l'exception bien évidemment du français. Il n'y a pas de français *dans* le français. Après tout, le *français* est le mot, le nom, servant à désigner la somme des emprunts réalisés à d'autres langues. *Une langue n'est que la somme de ses emprunts.* La langue n'a donc rien d'un *Heimat*, d'un chez-soi. Elle est en soi un lieu, une force, de dispersion. L'écrivain est toujours d'emblée dans *les* langues et jamais dans *la* langue.

C'est ce que dit le mythe de Babel si on le lit bien. Avant Babel, la langue était tout simplement un outil de communication et rien d'autre : «Tout le monde se servait d'une même langue et des mêmes

sexualité dont j'étais témoin dans cet hôtel. C'est tout cela qui a servi de trame de fond à mon *Roman de Johnny*.

mots» (Gn 11,1). Ce qui a permis aux hommes de concevoir le projet sacrilège de construire «une tour dont le sommet pénètrerait les cieux» (Gn 11,4). Il y a de la mondialisation là-dedans, vous ne trouvez pas? En tout cas, Dieu va se fâcher : «Allons! Descendons! Et là confondons leur langage pour qu'ils ne s'entendent plus les uns aux autres» (Gn 11,7). S'ensuit le *confusio linguarum*, ce qui décrit le travail de l'écrivain. Ce dernier écrit non pas pour être entendu, mais pour semer la confusion.

Dante était particulièrement sensible à la motilité et par conséquent à ce fond de confusion et d'étrangeté propre à toute langue : «Si ceux qui sont morts il y a mille ans revenaient dans leurs cités, ils les croiraient occupées par des étrangers, du fait de la différence de langue» (*Convivio*, livre I, chapitre 5). Une langue, c'est un phénomène particulier, constamment travaillé, dévoyé par «de l'autre», par «de l'envahisseur», par «de l'occupant». Quand on parle d'un pays qui est envahi, occupé militairement, par une force étrangère, c'est là une chose terrible. Mais quand on dit d'une langue qu'elle est occupée par tant et tant de langues étrangères, cela est autre chose : c'est tout simplement de l'ordre de cette nécessaire «quiddité sans quiddité» caractéristique de toute langue. La langue n'est pas nationale : elle est toujours substantiellement et comme d'entrée de jeu *internationale*. Une langue ne devient nationale que si l'on refuse l'écriture [3].

Au fond, ce que je dis, c'est que la langue, pour moi, est un matériau que l'écrivain utilise au même titre qu'un peintre utilise de la peinture à l'huile — des couleurs, des formes, des textures, etc. — pour réaliser ses peintures. L'écrivain est tenu de connaître son matériau (l'anglais, le français ou toute autre langue) à fond. Tout comme le peintre ou le sculpteur. Le sculpteur vit toute sa vie avec le marbre ou avec le bronze. L'écrivain, lui, vit toute sa vie avec telle ou telle langue. Tout comme le sculpteur se laisse habiter par le marbre ou le fer, l'écrivain se laisse pénétrer, habiter, par le français ou par l'anglais, mais en tant que ces deux langues sont toutes deux des langues qui lui permettent de semer la confusion. On ne penserait jamais demander à un peintre s'il peint dans ses «couleurs maternelles», ou interroger un danseur pour savoir s'il bouge dans ses «mouvements maternels». Pourquoi, quand il s'agit de l'écrivain, croit-on pertinent de poser la question du matériau linguistique en ces termes :

3. Il y aurait lieu d'ouvrir une parenthèse, ici, sur le qualificatif *national* pour parler de la littérature du Québec : jusqu'où y a-t-il, ici, quelque chose d'un refus de l'écriture?

« Écrit-il, oui ou non, dans *sa* langue maternelle ? » Or, il me semble qu'on n'écrit jamais dans sa langue maternelle, celle-ci n'étant que la langue dont on aurait une plus grande habitude. L'écrivain, tout écrivain, comme le dit Deleuze, écrit le dehors d'une langue.

Vous allez sans doute me dire que, pour le francophone que je suis, écrire en français ne peut être la même chose qu'écrire en anglais. Peut-être. Mais il me semble qu'il n'y a rien de *spontanément* matériel dans le français ou dans l'anglais. Il ne suffit pas d'écrire dans sa langue maternelle pour que la magie ait lieu. Enfin, je dois avouer que cette question de langue maternelle me paraît participer du fantasme plus qu'autre chose. C'est le processus d'écriture, et lui seul, qui *ravive* le fond matériel d'une langue, et qui fait soit du français soit de l'anglais — ou de n'importe quelle autre langue finalement — une langue étrangère, car absolument vide d'elle-même.

Posons la question : qu'est-ce qu'une langue ? Comme la lune, une langue possède deux faces : une face lumineuse, et une face cachée et sombre. Il y a, d'une part, les mots de la tribu, qui nous permettent de communiquer et, à l'occasion, de nous sentir chez nous. Cela est de l'ordre de la face lumineuse de la langue : c'est ce visage clair, visible, empiriquement vérifiable qui sert de support au fantasme de la communauté, au fantasme — et donc à l'illusion — qu'il y a ou qu'il peut y avoir « de la communauté ». D'autre part, il y a la face détournée, oubliée, refoulée, sombre et intraitable de la langue : l'innommable de la langue.

Ces deux faces (les mots de la tribu, l'innommable hors-tribu) fondent, au sein de la langue d'usage, une dialectique de la scène et de l'obscène, du sens et du hors-sens, de la décence et de l'indécence, sur laquelle joue tout écrivain.

Cela étant, l'écrivain que je suis ne se sent pas plus « branché » sur la langue française que sur la langue anglaise. Je ne me sens pas placé — en tant qu'écrivain, dis-je bien — devant un choix à faire entre l'anglais et le français. L'écrivain est tout, sauf l'âne de Buridan. À la limite, je dirais que je n'écris ni en français ni en anglais, mais « en écriture » (si on me permet ce pléonasme), l'écriture n'étant le fait d'aucune langue, mais bien de toutes les langues. Ce n'est qu'accessoirement que mon roman peut être considéré comme écrit en telle ou telle langue. Cela participe de ce que Lacan appelle l'imaginaire. Proust n'écrit pas en français, ni Rimbaud. Proust écrit « en Proust » et Rimbaud « en Rimbaud ». Si Rimbaud écrivait véritablement en français, en tant que cette langue connue de tous (celle d'avant Babel), eh bien, monsieur et madame Tout-le-Monde seraient en mesure de comprendre Rimbaud tout spontanément, ce qui n'est manifestement pas le cas.

En ce sens, je ne me sens pas l'âme d'un écrivain sociologique ou sociologisant, dont la vocation serait de dire la tribu avec les mots de la tribu (pour que le lecteur puisse *se reconnaître*, comme on aime dire). Il y a des écrivains dont l'œuvre se veut le portrait fidèle d'un milieu, d'une communauté, d'une société. Le roman, dans ce cas, est le miroir que l'écrivain promène le long de sa famille, de son village, de sa ville, de sa nation. Mais cela ne m'intéresse pas, ce n'est pas ma voie. Ce genre d'écriture — qu'on peut nommer « réaliste », pour faire vite — se réalise toujours aux dépens de l'*écriture* en tant que telle.

L'écrivain est un être, un animal « politique », mais pas du tout dans le sens d'une prise de position idéologique gauche/droite. Et, s'il est un animal politique, c'est que son travail consiste à injecter de l'étrangeté dans la tribu et dans les mots de la tribu, et finalement à rendre la langue ou la tribu plus présente à *sa propre* étrangeté, à sa propre confusion. Vous comprendrez qu'il n'en va aucunement d'un cosmopolitisme inodore et incolore. L'écrivain n'est pas quelqu'un qui écrit à partir d'un nulle part abstrait : il écrit bel et bien à partir d'une langue, qu'elle soit qualifiée de « maternelle » ou d'« officielle » ; il écrit donc à partir d'un contexte linguistique, à partir d'une langue, mais qu'il cherche à trousser, comme on trousse les jupes d'une fille. Bref, il a par rapport à la langue dite maternelle des comportements tout à fait indécents. C'est Sade, non ? qui disait ceci du romancier : « S'il ne devient pas l'amant de sa mère dès que celle-ci l'a mis au monde, qu'il n'écrive jamais, nous ne le lirons point[4]. »

Ainsi le processus d'écriture consiste-t-il à retourner à la langue maternelle (ou à toute langue tenue pour officielle) ce fond d'étrangeté qui lui appartient, mais qu'elle cherche à refuser. Il y va d'une certaine violence : on lui lance à la figure son propre fond ignoré. Et cela (ce geste de retourner à la langue maternelle son propre fond d'étrangeté) n'a lieu, ne peut avoir lieu, dans aucune langue déterminée.

Parlons maintenant de la forme romanesque, qui, à part l'essai, est un genre d'écriture que j'ai tout de même pratiqué un peu (je ne suis ni poète ni dramaturge).

---

4. D.A.F. de Sade, *Les crimes de l'amour*, Paris, Gallimard, coll. « Folio classique », 1987, p. 44.

Qu'est-ce qu'un roman? Je vous soumets une définition qui n'a rien de scientifique, je la propose pour faire un petit peu de travail ensemble : un roman, c'est un rêve fait par une langue. C'est-à-dire que, le roman — mais on pourrait, j'en conviens, dire la même chose du poème ou de la pièce de théâtre —, c'est la forme que prend le rêve quand la langue de la tribu rêve sa propre étrangeté, ou du moins quand elle rêve une partie, une parcelle, de cette étrangeté.

C'est précisément ici que peuvent entrer en scène les personnages créés par le romancier — les personnages, mais aussi les « narrèmes » ou stratégies narratives du romancier, la ponctuation ou la rythmique du récit, le style ou même *les* styles du romancier, et ainsi de suite. Mes personnages — Johnny, le père Dission, la sœur de Johnny, le professeur de Johnny, son assassin, sans oublier la femme-porte, le prêtre, le bourreau — sont tous nés de cette part d'ombre, la face cachée et morne de la langue (ils ne sont pas du tout calqués sur des êtres qu'il nous serait possible de croiser dans la réalité). Venus de cet ailleurs (c'est-à-dire nés de cet envers de la langue de la tribu), ils avancent sur la scène du visible. Ainsi se présentent-ils, comme des intrus, *à même* la face claire et visible de la langue...

Reprenons la métaphore de la lune. C'est comme si les cratères et les reliefs (rochers et pics) de la face cachée de la lune apparaissaient soudain sur la face lisible et connue de la lune. Imaginez la surprise de l'astronome, par exemple un Galilée, qui a l'habitude de scruter la surface lumineuse de la lune, qui en connaît les moindres aspérités, les moindres petits accidents pour les avoir fréquentés avec sa lunette sa vie durant — imaginez-le maintenant à l'instant où il voit apparaître soudainement, à même ce visage familier de l'astre, des cratères et des montagnes jamais vus... et donc l'histoire camouflée, enfouie, insoupçonnée de ce qu'il croyait si bien connaître. Le Galilée qui saurait accueillir cette *trans-parition* inattendue, qui ne s'en affolerait pas, serait un lecteur idéal — c'est-à-dire un lecteur comme on en voit peu. Vous voyez qu'il ne s'agit pas ici d'une apparition (il n'en va pas tellement d'une phénoménologie), mais d'une *trans-parition* : l'envers de la langue *trans-paraît* à même l'avers de la langue.

Je pourrais utiliser une autre métaphore, celle d'une feuille de papier couverte d'une écriture cursive et abondante, furieuse, cela des deux côtés de la feuille. Si vous teniez cette feuille à la lumière, vous verriez l'écriture qui se trouve sur l'envers de la feuille *trans-paraître*, créant ainsi un effet de brouillage avec l'écriture sur l'avers qui jusque-là avait pourtant été tout lisible. Effet de brouillage, donc. Effet de confusion, le *confusio linguarum* de l'après-Babel.

Voilà l'amorce d'une réflexion que je voulais partager avec vous, aujourd'hui. Je voulais vous soumettre que, si le citoyen, Robert Richard, contribuable et membre de la société civile, est bilingue, l'écrivain (et donc le sujet politique) Robert Richard ne l'est pas, et que, par conséquent, l'écriture bilingue n'existe pas. Pour communiquer, pour parler, un homme ou une femme peut emprunter tantôt la langue anglaise, tantôt la langue française, et finalement toute autre langue : ça, c'est du bilinguisme ou du multilinguisme — et, le bilinguisme à ce niveau (l'échange, la communication en société), ça existe et c'est même fort utile. Mais, quand cet homme ou cette femme se met à l'écriture, il ou elle écrit « de l'écriture » — un point c'est tout. Et cette écriture (ce par quoi l'envers de la langue *transparaît* à même l'avers de la langue) ne ressortit à aucun parler déterminé, identifiable ou répertorié, par le linguiste de profession. C'est pour cela que, de cette étrangeté, il n'y a strictement « rien à dire », mais tout à écrire.

FEUILLETON
DANIEL CANTY

TINTIN DANS LA BATCAVE

Aventures au pays de Robert Lepage, épisodes 4, 5 et 6[1]

Les épisodes précédents de ce feuilleton ont été publiés dans les livraisons 287 (épisodes 1 et 2) et 288 (épisode 3) de *Liberté,* en février et en juin 2010.

Résumé de l'épisode 3, « La forteresse des années quatre-vingt » : L'auteur, convoqué en entrevue par les associés cinématographiques de Robert Lepage, s'aventure au complexe Ex-Centris de Montréal, fraîchement atterri au milieu du boulevard Saint-Laurent. Dans le hall de ce *mother ship* stylé *nineteen-eighties,* notre Ulysse au sac à dos, de retour d'Anglophonie, évoque le naufrage du cinéma Élysée, ainsi que l'égarement et la dérive du Parallèle et du Café Méliès dans les courants du temps. Ce net penchant pour l'élégie ne dit pas tout. Notre homme parvient aussi à démontrer les artifices de son intelligence à ce trio de sympathiques producteurs spécialisés dans la production de films intitulés en *p.* Ils lui offrent un poste d'hôtelier

---

1.   Daniel Canty tient à remercier Steven Forth pour sa lecture.

pour un drame électronique à la manière grecque, *Hôtel*, qui, virtualité aidant, ne se matérialisera jamais. Qui savait que l'avenir proche réservait aux *p*-producteurs des destins paracinématographiques ? L'intention y était pourtant. Pour sa part, l'auteur rebondit sur la Oueste Coaste, lançant en vain des appels vers l'avenir. Il revient éventuellement à Montréal, où il a accepté un poste au Collège de Maisonneuve, continuant d'y professer sa foi inébranlable en la littérature, un métier difficile à exercer en dehors des écoles. En guise de consolation, les *p*-producteurs l'invitent à la première de *Possible Worlds*, où il côtoie l'élite du moment et contemple mélancoliquement la nature changeante de l'avenir, qui continue obstinément de ressembler au présent.

Épisode 4
SCULPTURE DU TEMPS
(2001, 1997, 1999, 2002)

Quelques mois après la première de *Possible Worlds,* je croise par hasard Bruno Jobin, devant le Faubourg Sainte-Catherine, bien loin d'Ex-Centris, à un pas de l'École de cinéma de l'Université Concordia. J'aime marcher à travers la ville, dans des quartiers qui me ramènent ailleurs. On mange au Faubourg, bien moins cher qu'au Méliès, des plats du monde entier. Les sacs à dos n'y gênent personne. Bruno vante les mérites de cette zone, excentrée du cœur franco-culturel du Plateau. Dans quelques années, il quittera le monde du cinéma pour étudier l'urbanisme.

Pourquoi vous ne m'avez jamais rappelé? Bruno m'explique que le projet d'*Hôtel* n'aura pas lieu. In Extremis a mis fin à ses activités de production après un nouveau refus de Téléfilm Canada. À chaque carrefour du temps, chaque fois qu'une décision s'accomplit, des pans entiers du désir sont emportés dans le vide. Lors de mon entrevue à Ex-Centris, Bruno m'avait parlé de ce film de vampires, *White Nights,* et de *Tourists,* un thriller sur le trafic international d'organes. Comme ces pièces de Lepage que j'ai manquées, ces films jamais produits, peuplés de vampires et d'agents secrets, stimulent mes conjectures.

Bien que, dans un cas comme dans l'autre, l'œuvre survive grâce à des projections intimes, imaginer un film non filmé est un acte de pensée bien différent que celui d'imaginer une pièce qu'on n'a pas vue, et qui a tout de même eu lieu. L'existence du film est confinée à l'imaginaire, ou, si on y a accès, à la littérature potentielle du scénario et du traitement, alors que la pièce est inscrite dans la mémoire d'un public, qui continue, à voix haute ou non, de la raconter. Dans l'ontologie des choses à demi existantes, un film invisible appartient encore à l'ordre des images, alors qu'une pièce invisible survit par la parole de ses spectateurs, devenus acteurs d'un drame accompli.

Quelques années plus tard, Téléfilm refusera également de financer l'adaptation de *La trilogie des dragons,* cette grande saga québéco-sino-canadienne qui avait marqué le début du rayonnement international de Robert Lepage. Les fonctionnaires, endiguant le flot circulaire de nos éternels retours, auront choisi de formaliser une opinion répandue sur le cinéma du metteur en scène : laisser au théâtre ce qui appartient au théâtre.

À peu près au même moment, en Nouvelle-Zélande, Peter Jackson prépare, de son côté, le tournage du premier film de la trilogie du *Seigneur des anneaux*, fantaisie transnationale occidentale universelle ou presque, engendrée par les traumatismes d'après-guerre d'un professeur d'Oxford. Leurré par le titre de l'adaptation cinématographique de *La trilogie des dragons*, qui n'a rien à voir avec Tolkien, et exposé par ma fascination à un précieux risque imaginaire, j'ai quitté le comté de Lachine, Québec, pour explorer le vaste monde. J'aime à penser qu'un film de *La trilogie des dragons* eût résonné chez une nouvelle génération de hobbits banlieusards. Robert Lepage dénonce publiquement sa déception institutionnelle, et annonce son exil du cinéma. Gandalf, Prospero, quand reviendrez-vous? La Terre du Milieu se meurt. Qui ne sait pas que Saruman, en se déclarant plénipotentiaire de la magie publique, ne respectait que son propre plan de carrière?

Les salariés qui nous font la vie dure s'évanouissent sans laisser de traces. Les trilogies ont seulement besoin de héros pour exister. Aujourd'hui, le réalisateur Pedro Pires a terminé le tournage, avec l'aide de la Société de développement des entreprises culturelles du Québec, du premier des trois volets de *Lipsynch*, pièce-fleuve de Robert Lepage, alors que ce dernier met en scène, à l'Opéra métropolitain de New York, le cycle du *Ring* de Wagner, inspiration avouée de notre fabulateur d'Oxford.

Bruno aurait souhaité que Robert, qui se spécialise dans l'entretien des réalités parallèles, se concentre plus intensément sur ses films. Un film est un objet, et les objets, dans le théâtre de Lepage, existent en transit, sont sujets à des variations continues. Le cinéma, comme dirait le camarade Andreï, est une sculpture du temps.

Livré à la perméabilité de l'interface et au flot des interactions, *Hôtel* n'était pas du cinéma, plutôt quelque chose qui s'en inspirait, s'en rapprochant, s'en éloignant, dans un mouvement semblable à celui qui affirme et efface notre présence dans l'espace transitoire du Web. *Hôtel* mettait en scène un quasi-objet, en perpétuel changement de phase, qui aurait pu emprunter ses moyens à n'importe quel médium, pour les conjuguer, les déplacer.

Le rideau se lève sur un théâtre des éloignements, où se faufilent, par les trous du temps, des résidants fantômes. L'architecture lumineuse et momentanée d'un mystérieux hôtel apparaît, par la force d'un traumatisme, au cœur du réseau. Ses corridors et ses chambres recueillent la trace de visiteurs invisibles les uns aux autres. Au fond

DANIEL CANTY

d'une chambre, quelqu'un est mort. D'autres cherchent pourquoi. D'autres sommeillent et passent. Leurs paroles et leurs pensées allument des lueurs fugaces dans la boîte noire de l'ordinateur.

Un avenir incertain est parfois constructif. Toujours un plaisir, Bruno, nous nous reverrons. Je m'éloigne en songeant que c'est un véritable projet hanté qui m'a valu de rencontrer les producteurs d'In Extremis. *Einstein's Dreams*, «interprétation interactive» d'un roman d'Alan Lightman consacré aux rêveries du jeune Albert Einstein, alors employé au Bureau des brevets de Berne, n'a jamais été publié dans sa forme finale. Depuis sa réalisation, j'ai l'impression de poursuivre le spectre d'une carrière fantôme, dont je n'arrive pas à ressaisir le fil. Parfois, à l'angle d'un des corridors du Collège de Maisonneuve, je devine mon double, s'éclipsant du côté du jardin intérieur, derrière la verdure, par les corridors du temps.

Épisode 5
UN RÊVE D'EINSTEIN
(2001, 1998/1948, 1999/1905, 2002)

Chaque été, depuis mon retour à Montréal, je retourne dans mon passé proche, à Banff, en Alberta. En 2002, j'y participe à *Interactive Screen,* un sommet international annuel sur les nouveaux médias. Voilà trois années que j'y présente, avec la passion d'un utopiste pratique, l'adaptation d'*Einstein's Dreams.*

Un beau soir de 1998, profitant de l'absence de mon producteur, Steven Forth, au Japon, et du tuyau d'une collègue, Angela Pressburger, membre de plein droit — en tant que fille d'Emeric, célèbre scénariste des *Red Shoes* (1948) — de la noblesse cinématographique internationale, et unique employée de notre service des *relations stratégiques,* je *crashe* un cinq à sept chez Téléfilm Canada. L'agente de programme m'informe sur les forces et les faiblesses de mon traitement pour mon « interprétation interactive » d'*Einstein's Dreams.* Le traitement du projet déposé à Téléfilm est l'adaptation d'un essai écrit pour un atelier de littérature américaine à l'Université du Québec à Montréal. Il faut bien se rendre utile à la société. Je retourne au bureau en agent secret et, avec l'aide de Gregory Ronczewski, directeur artistique, transfuge du rideau de fer, j'assemble les documents manquants. Au retour de Steven du Japon, un chèque l'attend sur son bureau. Je dramatise les faits, mais le propos est véridique : toute ressemblance avec des personnes réelles et des événements vécus est plus que fortuite.

Du 14 avril au 28 juin 1999, nous diffusons, par voie du Web, trente épisodes, autant de variations où la forme de l'*interaction* épouse celle du temps. La période de diffusion correspond aux trois mois de « l'année miracle » d'Albert Einstein, 1905, alors qu'il s'achemine, dans ses heures creuses au Bureau des brevets de Berne, vers la formulation de la relativité restreinte, une théorie physique du temps. Entre-temps, Einstein signe des essais sur le mouvement brownien et l'effet photoélectrique, qui sont au fondement de la physique contemporaine.

Le site Web sert de programme, au sens théâtral du terme, à l'expérience, nous illuminant, relativement parlant, sur les personnages, les actions et les lieux du récit. Alors qu'Einstein chemine en pensée de rêverie en rêverie, des figures, rescapées d'anciennes photographies, se détachent du chœur spectral des citoyens. Leurs dramuscules démontrent que, même au cœur changeant du temps, l'humanité est la seule mesure connue de l'être. L'action, si on peut désigner ainsi une narration aussi conceptuelle, se déroule dans une version imaginaire du Berne de 1905, empruntée aux gravures d'archaïques manuels touristiques.

Nous avons voulu créer un langage qui permette d'extraire de la prose d'Alan Lightman l'essentiel de sa poésie. Chaque épisode enchaîne trois tableaux. Un premier porte, dans une cartouche qui rappelle celles qui figurent au bas des bleus d'architecture, l'intitulé de l'épisode. Ce tableau annonce, sur fond élégiaque de quatuor à cordes, la forme du temps à cette date de 1999/1905. 14 avril : *Time is a circle...* 8 mai : *The world will end on 26 September 1907...* 14 mai : *There is a place where time stands still...* 25 juin : *Time is like the light between mirrors...*

Chaque deuxième tableau aspire le lecteur dans un espace noir. Dans le vide cosmique se déploient, sur fond de graphes et de variables logico- et pseudo-mathématiques, des objets insolites. Ils viennent des brocantes de Vancouver ou des domiciles de l'équipe. En y ajoutant les cartes et les gravures tirées d'un vieux *Baedeker* consacré à la Suisse, nous articulons un imagier poétique. L'ordinateur s'en trouve transformé en une sorte de machine à désarticuler le temps. 14 avril : *Une rose fleurit et flétrit dans le noir, en des cycles de plus en plus resserrés...* 8 mai : *L'assemblée qui pose, à la dernière heure du monde, pour une photo est emportée par la douce blancheur d'une ultime chute de neige...* 14 mai : *Au centre figé de l'univers, une bouche désincarnée répète un message désespérant de solitude...* 25 juin : *Dans une chambre sans issue, entre deux miroirs, de coup d'archet en coup d'archet, la flamme d'une chandelle se démultiplie, vacillant au son d'un violon invisible...*

Ainsi «dénaturée», la machine prétend échapper à sa propre logique binaire. Le visiteur, invité à interagir avec les objets à l'écran et à sonder le sens des mobiles qui se présentent à lui, devient le principal interprète d'une énigmatique rêverie, à mi-chemin du *koan* et du jeu vidéo. Il a le mot de la FIN et, lorsqu'il appuie sur le bouton éponyme, un troisième tableau apparaît, où il découvre un fragment découpé dans les récits de Lightman, qui réfléchit le sens des opérations imaginaires qu'il vient d'effectuer. Bien qu'il soit difficile d'émouvoir par le biais d'une machine, l'expérience de cette «fiction interactive» possédait, selon certains, l'étrangeté des rêves et leur résonance émotionnelle.

Dans le livret qui devait accompagner le CD-ROM rassemblant l'ensemble des épisodes, une suite de poèmes, *Notes upon Waking (t = x)*, réfractait l'expérience des tableaux. *Every morning he would shake himself awake and all his thoughts would fall back into place...* Les livres ont la vie dure, en cette ère numérique, et mes débuts de poète d'Anglophonie ont été coupés court.

J'explique à l'auditoire de Banff, non sans mélancolie, que la compagnie de production de Vancouver, DNA, a mis fin à ses activités juste avant la publication finale du projet. Nous avons pu, grâce au schème de diffusion sur trois mois, respecter l'échéancier et nous en tenir au budget. Je recycle l'héritage de mes grands-parents au profit de la direction artistique. Nous trouvons un imprimeur italien pour le livre. La production ne coûte que nos salaires, et les droits versés à Time Warner, l'éditeur de Lightman. Certains des mystères de l'*overhead* m'échappent, et l'argent manquera pour la publication. DNA est forcé de mettre fin à ses activités de production. Il est de plus en plus évident que la fiction virtuelle n'existe que dans le voisinage des limbes.

Danièle Racine, émissaire du Festival du nouveau cinéma de Montréal, qui a ses bureaux à Ex-Centris, assiste à ma présentation à Banff. Elle me dit : « Tu as réussi à faire un projet d'art avec l'argent de Téléfilm Canada. » Cette fille me semble vraiment très bien. Quand il est question de poétique, je sais tout de même être un homme pratique, malgré mes cheveux bouclés et mon allure tristou. Je vous avais dit que j'avais de bonnes notes en physique et en mathématiques, et que j'ai étudié l'histoire et la philosophie des sciences ?

J'aimerais que l'assemblée soit touchée par l'ambition et la beauté du projet, qu'elle parte convaincue qu'une culture dite *d'auteur* est possible en nouveaux médias, comme au cinéma, et qu'on gagnerait, dans un système où les fonctionnaires changent de plan et de postes aux quatre ans, à ne pas tant s'illusionner sur le bien-fondé de leurs analyses de marché. Le contenu canadien tient aux créateurs. Je suis même parvenu à me négocier, par souci symbolique, un droit d'auteur de 1 % pour ce projet.

La page des invités de einsteinsdreams.com est remplie de commentaires internationaux. Il est facile de se rendre à un théâtre qui n'existe pas. Dix mille abonnés suivent la diffusion Web, jusqu'à ce que, un beau jour, le serveur s'enraye. Seuls les fidèles continuent de chercher le fil de l'histoire. Au fond de l'auditorium de Banff, un Hollandais jusqu'alors silencieux, affalé à côté de son épouse et à demi caché derrière son portable, témoigne de son expérience du projet. Il en vante l'élégance et le pouvoir d'évocation, en se demandant pourquoi sa poésie, ultimement, n'a pas épousé l'arc habituel d'un drame. Je lui explique que nous suivions la courbe des rêves, son arc asymptotique et fuyant, que seul interrompt l'éveil, et que c'est plutôt l'historique de la production qui répond au modèle de la tragédie. Daniel, ne t'emporte pas.

Un an plus tôt, à Manhattan, j'ai rendez-vous au bureau d'Aleen Stein, rencontrée à Banff l'année précédente. Cette dame à l'allure assurée et mélancolique à la fois a fondé, avec son ex-mari, The Voyager Collection, une bibliothèque de CD-ROM qui présente en format numérique les trésors perdus du cinéma, de la télévision et de la radio américaines, ainsi que quelques œuvres interactives, comme *Puppet Motel,* qui nous plonge dans l'univers de Laurie Anderson. Elle est aussi la cofondatrice, avec ledit ex-mari, de la Criterion Collection, qui deviendra sous peu légendaire. Je cherche un moyen de publier *Einstein's Dreams*, et peut-être aussi un emploi. Sa question est directe : *How do you expect to make money?* Oh, Aleen... Je formule une réponse trop compliquée. Elle me propose d'écrire des essais pour sa collection de DVD. Je ne les connais pas encore, et je refuse. À bien y penser, il faudrait que je lui réécrive. En attendant, je crois que je vais aller louer un film.

Épisode 6
FREUD 1, EINSTEIN 0
(1999, 1997/1973/1995, 2008, 1999/1941/1985/
1956/1972, 1999/1992/1947, 2002)

À l'automne 1999, le cycle de production d'*Einstein's Dreams* bouclé, je décide de quitter Vancouver, et de partir trois mois en Europe, avec une passe illimitée d'Eurail. Je me demande chaque jour si je veux vraiment revenir à Montréal. Je suis convaincu que je n'y aurais jamais été libre d'inventer *Einstein's Dreams*. J'ai le sentiment qu'au Québec, où on est davantage habitué à leur présence inefficace, les intellectuels sont, dans la plupart des cas, interdits de passage dans l'espace public. Il faut parler très fort, et redoubler d'outrage, pour percer le tympan médiatique. Il faut être perçu comme un homme d'action pour stimuler l'excitation des fonds publics. On est pressé, au Québec libre, d'affirmer aux autres ce qu'ils ne sont pas. Je crois que si j'étais resté, je serais resté écrivain, oui, mais devenu, inévitablement, professeur, captif de la réalité seconde de ce qu'on appelle l'*institution*.

Je suis convaincu que ma translation de 1500 km vers l'ouest et la rencontre fortuite d'un producteur ultra-lettré ont altéré mon destin. Ce producteur, c'est Steven Forth, grand admirateur des *language poets*, un tantinet dyslexique, qui opérait une *small press* au Japon avant de se lancer dans l'édition numérique avec Yoshie, son épouse designer de textiles. En apprentissage au Danemark, celle-ci a aidé à teindre les robes rouges de Sophia Loren. À Noël, elle m'offre un sac de tissu blanc et rose, qui me servira à l'avenir d'étui à portable, et que je n'aurais jamais pu trouver moi-même. Steven, réputé mauvais homme d'affaires par des spéculateurs numériques qui n'y réussissent pas plus, prend de beaux risques. Il a rassemblé chez DNA une troupe aux expertises fantasques, pour inventer un nouveau média. Notre groupe d'improbables créateurs n'a rien à envier à la troupe de théâtre la plus bigarrée.

Il y a une semaine, mon premier amour m'a quitté en direct de Londres, mettant fin à sept ans de vie conjuguée à l'issue d'un appel d'outremer. *Tu as rencontré quelqu'un? — Non...* Sa réponse est hésitante. Trop longue. Je sais, je sais. Certaines communications, à la manière des transmissions intergalactiques que guettent les antennes radiotélescopiques, prennent une éternité à nous atteindre. Une fois advenues, elles semblent avoir depuis toujours attendu, cachées dans les retranchements du temps. Nous sommes en 1997, à Vancouver, profitant de quinze minutes de pause. Je ne sais plus où aller. Je retourne en classe, contempler le vide, et le regard de mes amis. La vie continuera ailleurs.

Une semaine plus tard, Steven Forth apparaît en classe, verbo-moteur, son discours pullulant de références, en nous expliquant qu'il a donné naissance à sa compagnie d'édition électronique, DNA Multimedia, pour suivre l'injonction imaginée par un des personnages du *Gravity's Rainbow* (1973) de Thomas Pynchon, *« to widen our temporal bandwidth »*, « d'élargir notre fréquence temporelle ». Je n'ai pas encore lu cette fresque rhizomatique, machine paranoïaque et désirante, pétrie des matières de l'après-guerre, qui me semble le pendant fictionnel des *Mille plateaux* de Deleuze et Guattari. Par contre, j'imagine très bien ce dont il parle, et je réponds à son *name-dropping* avec la verve d'une note de bas de page. *We're looking for writers. Why don't you come by next week?*

Outre Steven, mon entrevue rassemble le directeur de création de la compagnie, Gregory Ronczewski, un designer polonais, ancien architecte d'intérieur et peintre, né à Gdansk; Lorraine Chisholm, une programmeure lesbienne, céramiste formée au Nova Scotia College of Art and Design; et Katherine Lee, une productrice sino-winnipégoise autrefois employée de la CBC. Le studio abrite aussi, entre autres humaines merveilles, Michael Hoeschen, un architecte autrefois assis-tant de Michael Snow, dont la thèse consistait à spatialiser *Roméo et Juliette*; Sanja Marinkovic, une designer de textiles serbe; Hanif Jan Mohamed, un designer industriel maghrébin issu de la Domus; Marek Gronowski, un ingénieur polonais défroqué, devenu photo-graphe et explorateur, douze années durant, de la route de la soie; et mon grand ami Richard Eii, un directeur artistique nippo-canadien, bédéiste et cinéaste, formé en violon au Berklee College, l'école de musique contemporaine de Boston.

Au moment de l'entrevue, le poids des relations internationales me pèse encore et, si j'ai la mine basse, l'espoir est vif. Je crois encore que c'est ma réponse, laconique, à la question : *What do you like to do in your spare time?* qui m'a valu d'être engagé : *I like ice cream in the springtime*. Je recouvre, bien sûr, l'absence qui me ronge, mais j'ai un bon sens de l'humour. Nous rions ensemble. À la fin de l'en-trevue, Steven, en bon adepte de la référence, me serre la main en souriant, en me disant : *You remind me of Michael. — Michael whom?*

— *Michael Ondaatje*. Quelques jours plus tard, je suis engagé. Je crois de nouveau au hasard, et au destin.

Steven, un anglophone d'Ottawa, a été un prodige mathématique adolescent et un membre de l'équipe de ski junior du Canada. Il apprécie l'esprit d'indépendance des Québécois, et il m'engage pour écrire et réaliser en anglais. Après tout, j'ai un patronyme irlandais. Steven et sa troupe me permettent ainsi de devenir scénariste, puis réalisateur, tout en demeurant ce qu'on appelle, à l'européenne, un intellectuel et un écrivain. Bien que, pour ma part, je n'achète pas la sagesse des marchands, ni Steven ni moi ne voyons de contradiction à être intellectuel et à produire des œuvres.

À Vancouver, on m'appelle Daniel-san, et on prononce mon nom à la canadienne, ou à l'irlandaise, ce qui revient parfois au même. Combien de pays faut-il traverser avant de revenir à soi? Combien de versions de soi, avant de retrouver son chemin? À gauche l'Asie et l'avenir, à droite l'Europe et le passé. Vancouver est une terre du milieu, pour ceux qui ne savent plus vers quelle direction de leur vie aller.

Peu avant mon entrevue chez DNA, je lis, pour m'entraîner au travail collaboratif, et me souvenir du Québec, *Quelques zones de liberté* (1995), le recueil d'entretiens réalisés par Rémy Charest avec Robert Lepage. Je ne peux m'empêcher de penser que Pierre Lamontagne — *alter ego* au nom symbolique et minéral de Lepage, qui de pièce en pièce change d'identité, parfois aussi de perruque, mais demeure lui-même — a également commencé sa carrière de migrant à Vancouver. Ce garçon est un caméléon aussi versatile que le Tintin de Hergé. La Chine, le Québec, la côte ouest, ont beaucoup changé dans l'intervalle qui sépare les trois récits. Dans *La trilogie des dragons*, Lamontagne fréquente une japonaise imaginaire, et tient une galerie d'art dans le Vancouver des années quatre-vingt, celui d'avant mon arrivée. Dans *Le confessionnal*, il ressemble à Lothaire Bluteau, affectionne les tatouages et revient de Chine pour adopter l'enfant de son frère. Dans *Le dragon bleu*, il redevient Robert Lepage et habite encore Chung Kuo, «l'empire du Milieu», où il tient de nouveau une galerie d'art, cette fois au début du XXIe siècle. Il aime une jeune artiste chinoise et renoue avec les douleurs du tatouage. Si la Chine n'avait pas tant changé, on aurait presque pu croire que c'est ce dernier Lamontagne qui remonte jusqu'au Québec du *Confessionnal* pour veiller aux obsèques de son père et adopter l'enfant de son frère. En fait, les trois

DANIEL CANTY

branches de la vie de Lamontagne, au Québec, en Chine, et sur la côte ouest, s'échangent les rôles du passé, du présent et de l'avenir.

À Québec, dans la Caserne, cette Batcave théâtrale où j'assiste à la création du *Dragon bleu* en 2008, Lepage imagine même une fin ouverte à la pièce, où il se passe *deux choses à la fois*. Lamontagne, au nom de Pierre, évolue dans une durée mythique, où s'entremêlent les faisceaux du temps. Il semble un personnage quantique, discontinu, existant dans une multitude d'états narrativement exclusifs, pourtant mystérieusement conciliables. Un nom les rassemble.

Lachine, *La-Chine*, ma ville natale, tient d'ailleurs son nom d'espoirs mythiques, et d'une erreur de navigation. Le seigneur de ces terres, parti chercher un passage vers Cathay, loin de nulle part, se retrouve à l'embouchure du Mississippi. Retour de voyage, on rebaptise à la blague une portion de sa seigneurie. Aujourd'hui, la plupart des enfants de Lachine peuvent reprendre à leur compte l'ouverture de *La trilogie des dragons* : « Je ne suis jamais allé en Chine. » Les noms donnent lieu à ce qui n'existe pas tout à fait.

Dans *Quelques zones de liberté*, Lepage raconte aussi l'amour déçu qui l'a mené aux réalités du théâtre. Intensément amoureux d'une amie — qui cache peut-être *un* ami —, qui l'avait initié aux mystères de la petite fumée, ces lointains parents des rêveries opiacées d'Orient, il voit son sentiment nié. Sa sœur enjoint ce rêveur timide et détruit, dont l'ambition principale est d'enseigner la géographie, de s'adonner au théâtre pour se panser l'âme. À travers ses Pierre Lamontagne, hétérosexuels au cœur brisé, le metteur en scène, dont on parvient à oublier les préférences sur scène, renoue avec une part d'invécu. Je me reconnais un peu en lui, suspendu au cœur du monde, à égale distance d'Asie et d'Europe, le cœur égaré dans une nouvelle terre du milieu, où je gagne ma vie à écrire dans une langue qui n'est pas la mienne, et qui ne tient qu'à mon nom d'Irlandais, part ancestrale et mythique de moi-même.

Au moment de réaliser *Einstein's Dreams*, je révoque, non sans hésitation, mon statut de salarié pour me déclarer travailleur autonome. Le livre d'entretiens de Robert Lepage m'aide à choisir un nom pour ma nouvelle compagnie d'un seul. On racontera ce qu'on veut sur les personnes morales, mais *I Inc.* est légalement interdit de circulation en notre pays.

Irlando-québéco-vancouvérois, francophone écrivant aussi en anglais, je choisis donc *si*, acronyme du « système international » (SI). Ce systémique *si* est également l'opérateur logique du possible, l'agent algorithmique des bifurcations, *si... alors* étant une des routines fondamentales de la programmation. *Si* est impossible à prononcer pour la plupart des Japonais. C'est l'un d'eux qui m'assure que c'est ainsi qu'on écrit l'idéogramme japonais pour la « pensée » (思), *shi*, évoqué par Lepage dans *Quelques zones de liberté*, où un champ, *den* (田), couve un cœur, *shin* (心). Ce signe désigne une « intelligence du cœur », situant le siège de l'esprit non pas dans la tête, mais au centre symbolique de nos corps.

Aujourd'hui, je me plais à croire que c'est cette intelligence, brisée, du cœur qui m'a fait demeurer à Vancouver et donné la volonté de réaliser *Einstein's Dreams*. Le cœur est un fourneau nucléaire, un engin du possible. Parfois aussi, il semble l'infatigable architecte d'un labyrinthe de miroirs où nous sommes condamnés à pourchasser nos images fuyantes.

Ma lecture de *Quelques zones de liberté* me pousse à proposer, pour la création d'*Einstein's Dreams*, un modèle de production inédit. J'aborderai le travail comme un *work in progress*. J'orchestrerai l'écriture et la réalisation, inventant des formes pour la mise en interface du livre avec deux directeurs artistiques, Gregory Ronczewski et Richard Eii, qui se succéderont dans la création des tableaux poétiques. Nous travaillons avec deux programmeurs, l'un, Dave Olsson, qui considère le code comme une forme de poésie, créant des prototypes d'interaction qui inspirent la scénarisation, l'autre, Lorraine Chisholm, assumant l'*intégration*, c'est-à-dire le montage de l'ensemble. La musique de Scott Morgan, un compositeur doublé d'un programmeur, épouse les formes variables du temps. Notre productrice, Katherine Lee, nous aide à vivre ensemble. Nous créons les épisodes au fil des trois mois de 1999/1905, en dialogue constant, conjuguant nos expertises collectives, cherchant à ce que chaque aspect des interfaces reflète les transformations continues du temps dans le plurivers d'*Einstein's Dreams*. Aujourd'hui, notre labyrinthe transtemporel, construit en Director, l'ancêtre de Flash, à l'époque du système 9 de Macintosh, est suspendu dans les limbes de l'archive numérique, dont les protocoles, sous l'effet de cette malléabilité tant vantée du substrat, sont constamment déphasés.

Au temps d'*Einstein's Dreams*, mon cœur s'active, s'enraye et se réactive, mais c'est une autre histoire — disons seulement qu'il travaille fort et que je me lance dans la création de mon « interprétation interactive » avec l'espoir, déraisonnable et fondamental, que l'œuvre saura, par sa mélancolique beauté, compenser pour une absence perçue au cœur du monde. L'objet de la fiction : le cœur perdu du monde ? C'est le genre de garçon que je suis.

En 1999, au moment de réaliser *Einstein's Dreams*, j'avais 26 ans, l'âge d'Einstein en son année miracle, et aussi celui d'Orson Welles au moment de tourner *Citizen Kane* (1941). Je suis tout de même plus près d'Orson que d'Einstein avec mes rêves, et mon moment *Citizen Kane* s'estompe. Robert Lepage, lui, avait 28 ans l'année de *La trilogie des dragons* (1985), et de la découverte du monde.

Un jour, sur une route solitaire de Nouvelle-Écosse, j'entends sur CBC One un reportage sur la déchéance de Welles. Nous sommes au milieu des années soixante-dix. Welles a été engagé pour vanter les mérites d'une nouvelle marque de bâtonnets de poisson, et engueule le metteur en scène, justement, comme du poisson pourri. *You can write this, but you can't say it.* On est bien loin de *Moby Dick* (1956). L'émission en conclut que l'acteur déchu avait sale caractère. Cette morale est probablement trompeuse. Vous n'avez pas vos mauvaises journées, vous ? Vos sautes d'humeur ? N'êtes-vous pas, parfois, frustrés par l'envie de travailler à ce qui vous habite vraiment ?

Qu'il prête sa voix à des poissons surgelés ou incarne, dans son ultime rôle, la voix d'un robot mangeur de planètes dans *The Transformers* (1986), qu'il grossisse tant qu'il veut, Orson Welles est habité, jusqu'à la fin de ses jours, par une foi immense en l'art du récit. Il filme, pendant six ans, un film encore invisible, *The Other Side of the Wind* (1972), où un réalisateur autodestructeur incarné par John Huston, marginalisé par Hollywood, tente de terminer son dernier film. *Write what you know, young man.* Il tourne aussi une adaptation de *The Immortal Story* (1968), dont l'action se déroule à Shanghai, dans une Italie déguisée. Sa table de montage, et son monteur, le suivent d'hôtel en hôtel. Dans ce conte de Karen Blixen, un richissime solitaire qui ne comprend rien aux récits s'étonne que les livres puissent contenir autre chose que des états financiers. Il décide de payer pour faire exister, devant ses yeux, une histoire d'amour racontée par des marins.

C'est à la recherche d'une perspective un peu plus *télescopique* sur mes affres que je fuis vers l'Europe. Me voilà une fois encore à un téléphone public, à 1500 km de chez moi, cette fois à Trastevere, à Rome. J'ai visité Genève et le tombeau de Borges, constaté que Berne est une ville de pierre verte, remonté la côte d'or de Barcelone à Cerbère, par les paysages de Dalí, peu à peu perdu le fil de ma dérive et décidé, puisque *You remind me of Michael*, de relire *The English Patient* (1992), et de pister la trace de Michael Ondaatje et de ses personnages à travers l'Italie. Un roman vaut bien un guide touristique.

Je filtre mes appels à distance. *Einstein's Dreams*, dit la boîte vocale d'une amie polonaise, a été nominé pour le prix EMMA de l'Union européenne, qui sera remis à Amsterdam. DNA l'a remporté l'an dernier avec *Glenn Gould : le nouvel auditeur*. Cette année, l'autre titre finaliste est *Sigmund Freud : Archaeology of the Unconscious*. Tout le monde a besoin d'un nom auquel s'accrocher. Gould. Einstein *vs* Freud. Musique. Physique ou psychanalyse. Fiction ou inconscient. Le médium emprunte des grands noms pour justifier sa naissance. Au bout du fil, les organisateurs m'informent que ma réalisation a gagné. Je jubile. Je propose de rejoindre la cérémonie d'Amsterdam, et je projette un détour à Elsinore, où Robert Lepage a remis en scène *Hamlet* dans une sorte de théâtre de miroirs vidéographiques. J'ai encore raté la pièce, et je ne peux m'empêcher de penser, en considérant son dispositif solipsiste, à la fusillade au milieu du labyrinthe de miroirs dans *The Lady from Shanghai* (1947).

Je célèbre en trinquant seul avec moi-même dans un bar de Trastevere. Le lendemain, lorsque je rappelle pour avoir des détails, je réalise qu'il y a erreur sur la personne, que Freud a triomphé d'Einstein. *Then, there is something rotten in the kingdom of if. L'inconscient est la voie royale.* Un autre miroir éclate. *I am reminded of Michael.* Je retourne à mon roman et bifurque, déçu, vers le sud de l'Italie, vers le lieu de tournage de *The English Patient*, cherchant la suite de l'histoire.

Rewind to Banff. C'était *Einstein's Dreams*. FIN. Danièle Racine, amie, offre de m'aider en l'aidant. Je rédigerai le programme de sa programmation en nouveaux médias du Festival du nouveau cinéma, et j'animerai le Forum des nouvelles écritures. Les conférences parlent de ce que j'ai tenté de faire. *And you, what do you do ?* Je vous prête un CD-ROM. Il n'a pas été publié. Vous me direz ce que vous en pensez. Le mandat a beau m'intéresser, j'ai le sentiment inconfortable de passer à d'autres une parole qui devrait être la mienne.

De retour à Montréal, j'ai enfin mes premières entrées aux étages interdits d'Ex-Centris. On contrôle mon identité au parterre, et je rejoins Danièle dans son bureau qui, par un autre aléa du destin, deviendra un jour le mien, ou à peu près. La fenêtre donne sur le hall des cinémas, et la bande-annonce des films à l'affiche des trois salles d'Ex-Centris, projetée en boucle infinie sur le mur, rappelle les tours du temps. Quelque part en Asie, un homme charge un gisant sur une barque, la repousse du rivage et se laisse dériver au gré du courant. Encore et encore, au fil des eaux, quelque été lointain.

DU VERTIGE HAÏTIEN

Après des mois d'attente, les dés sont enfin jetés : le chanteur de pomme Michel Joseph Martelly vient d'être élu 56e président de Repiblik Ayiti avec une forte majorité — plus de 65 % des voix. Avec quatorze albums en carrière, l'ancien chanteur de « Sweet Micky » aura finalement eu raison de Mirlande Manigat, professeure de droit constitutionnel et conjointe d'un ancien président, Leslie Manigat. Comment ? En martelant, durant la tournée de spectacles qui a fait office de tournée électorale, qu'il ne pouvait faire pire que ses prédécesseurs, ce qui demeure évidemment à prouver.

Depuis l'arrivée sur le marché des informations en continu du Printemps dit arabe, la question haïtienne était pratiquement disparue de nos écrans et de nos consciences « éclairées ». L'éclipse partielle s'accentuait au gré des mouvements successifs de révolte en Tunisie, en Égypte, au Yémen, au Bahreïn, en Lybie et en Syrie. C'était là une manne inespérée pour les pétrolières, survenant par miracle tout juste après la pseudo-crise des marchés financiers, laquelle — heureusement subventionnée par la générosité des contribuables et par le sacrifice de centaines de milliers de travailleurs — s'est finalement résorbée en un tour de magie sans même qu'une véritable régulation soit mise en place. Et, comble de chance, le vent tournait aussitôt, les événements du monde faisant papillonner nos esprits. Un tsunami meurtrier frappait le Japon, reléguant les peuples arabo-musulmans dans les décombres de l'Histoire et permettait de réactiver le vieux débat sur les centrales nucléaires. Vinrent ensuite les événements de la Côte d'Ivoire, qui allaient se confondre avec nos étonnantes élections, lesquelles, malgré leur insignifiance, faisaient reculer un peu plus encore l'absence de la perle des Antilles.

Bref, c'est ce désintéressement généralisé du monde pour Haïti qui imprime un accent morose à l'ouverture d'un article de Daly Valet, publié au lendemain du tremblement de terre du 12 janvier 2010 (c'était hier, ne l'oublions pas...) :

> Il aura fallu ce séisme pour montrer au monde qu'Haïti n'existait pas. En moins d'une minute, ce mensonge vieux de deux siècles s'est dissipé. Port-au-Prince, cette ville arrogante et débonnaire, cette capitale accapareuse qui se prenait pour la République tout entière, est aujourd'hui réduite à l'état d'atome. Elle n'existe plus [1].

Cette inexistence, voilà qu'elle s'est rapidement approfondie, y compris chez nous, même si nous jouons souvent le jeu que jouent les Français avec nous : les Haïtiens seraient nos lointains petits cousins. Ah bon ?

Si je me permets de revenir à Haïti dans tout ce brouhaha, ce n'est pourtant pas parce que je serais — comme, dit-on, la majorité des Québécois — spécialement attaché au sort de la première République noire du monde. Ce n'est pas non plus parce que l'élection de Martelly ne me semble, après tout, pas si surprenante qu'il n'y paraît. Pas non plus parce que Bébé Doc et Aristide ont encore leurs supporteurs, tant sur l'île qu'à l'étranger. Enfin, si je m'intéresse à cet étrange pays depuis de nombreuses années, c'est parce je me demande à quoi diable tient donc qu'il soit celui de toutes les catastrophes ou, en tout cas, celui de la mise en scène de la logique profonde de la catastrophe. Ne voit-on pas que des milliers d'humains demeurent en ce moment plus ou moins livrés à eux-mêmes malgré les efforts réels de quelques organisations non gouvernementales, souvent sabotés par les intérêts partisans de petits politiciens, de gangsters de quartier, de narcotrafiquants et d'entrepreneurs en mal de profits, les uns et les autres entretenant bien sûr des liens qu'on pourrait qualifier d'étroits ?

1. Daly Valet, « L'an 1 du nouvel Haïti », *Le Matin*, repris dans l'édition spéciale du *Courrier international*, n° 1005, 4 au 10 février 2010, p. 31.

Je viens à l'instant d'employer le mot *catastrophe*. Or, que peut-on entendre par ce terme qui dépasserait la constatation de faits empiriques (c'est-à-dire la longue, trop longue liste d'ouragans, tremblements de terre, épidémies, dictatures et autres fléaux) et qui permettrait de nommer autre chose que l'incompréhension et la sidération ? Comment aller sous la pellicule épaisse et tenace de la désinformation et des lieux communs ? C'est ici qu'interviennent — plus « réalistes » et beaucoup plus précises que le surréalisme politique, économique et sociologique — la psychanalyse, les mathématiques et la littérature.

D'abord, la psychanalyse et les mathématiques, que je prends ici au point de jonction qu'elles représentent entre l'évolution des individus et celle de l'humanité d'une part, et comme fondatrices d'une théorie de la discontinuité développée par le psychanalyste Sándor Ferenczi (1873-1933), puis par le mathématicien René Thom (1923-2002) d'autre part.

C'est dans *Thalassa. Psychanalyse des origines de la vie sexuelle* (1924) que le grand clinicien hongrois, l'un des fondateurs de la psychanalyse avec Freud, formule une théorie analogue de l'histoire du monde appuyée sur les grandes catastrophes qui se font écho sur les plans de l'évolution de l'espèce et des individus. L'idée fondamentale de Ferenczi est que la conscience de l'homme se serait construite en « réponse » aux grandes catastrophes ayant marqué l'histoire de l'humanité, au sens où elles auraient entraîné des processus d'adaptation qui sous-tendraient la réalité physico-psychique de l'être humain d'aujourd'hui et que nous pourrions comprendre par la psychanalyse et par la biologie, les deux sciences se complétant en quelque sorte l'une l'autre. Selon lui, l'évolution de l'individu reprendrait ainsi dans son développement celle du cycle de *la vie la mort* de notre planète. Par exemple, au moment de l'apparition de la vie organique (première catastrophe) correspondrait ainsi la maturation des gamètes, soit des spermatozoïdes et des ovules ; à l'apparition des organismes unicellulaires individuels (deuxième catastrophe), la production par les gonades des hormones sexuelles. Et ainsi de suite, de catastrophe en catastrophe, la question étant alors de savoir comment définir celle-ci et, surtout, comme la distinguer d'une simple crise, travail auquel s'est consacré René Thom. Alors que la catastrophe est phénoménologique, morphologiquement identifiable, la crise est subjective, psychique, elle appartient au domaine de l'implicite, voire de l'indicible, ce pourquoi on en mesure parfois les effets sans en identifier les causes. L'un des motifs centraux de la théorie des catastrophes — qu'elle soit expérimentalement appliquée dans le domaine des mathématiques ou dans les champs de la biologie, de la grammaire ou de la psychologie — est qu'elle « s'efforce de décrire les *discontinuités* [qu'il s'agisse d'un trauma, d'une révolution ou d'une secousse sismique] qui peuvent se présenter dans l'évolution du système[2] ». L'essentiel de ces thèses audacieuses — qui ont toutefois durablement marqué la science la plus rigoureuse — se résume ici, pour ce qui m'occupe, au potentiel herméneutique et topologique que recèle l'histoire d'Haïti depuis son indépendance, inspirée par la Révolution française, mais acquise au prix fort.

Que nous dirait de l'humanité cette île mystérieuse qu'aucun autre lieu de la Terre ne condenserait avec autant de force et de mort, de force de mort ? À quoi tiendrait le fait qu'elle nous offre le plus saisissant condensé de déterminisme et d'indéterminisme que les peuples modernes aient connu ? En prenant au sérieux la théorie des catastrophes, ne pourrait-on pas penser que ce lieu du vertige, pour des raisons tenant à la fois de la folie des hommes et de la raison des éléments, représente en accéléré le déploiement universel de l'évolution du monde ? En d'autres termes, le payi d'Ayiti fournirait en quelque sorte un substrat microcosmique à partir duquel nous pourrions observer — au grand dam de ses habitants — le développement local d'une évolution globale faite de discontinuités successives. Bref, nous accéderions par la magie de cette île à la mémoire phylogénétique et ontogénétique de l'humanité : au-delà et en deçà de toutes les savantes discussions politiques et sociologiques, ne pourrait-on pas oser avancer l'hypothèse que la fondation du premier État noir au monde, en tant qu'elle s'est assise sur la faille d'Enriquillo-Plantain (une faille géologique secondaire mais majeure et reliée à la rencontre de deux plaques tectoniques juste au nord d'Hispaniola, à savoir la plaque nord-américaine et la plaque des Caraïbes), rend *visible* l'une des formalisations possibles de la situation originaire du politique, à savoir celle du conflit, laquelle répéterait analogiquement l'état catastrophique *naturel* ?

C'est peut-être en prenant en considération cette singularité catastrophique de son île que le président Martelly pourrait tirer son épingle du jeu. Enrayer le choléra et la déforestation de même que composer un tissu urbanistique qui tienne compte du péril sismique,

2.   René Thom, *Paraboles et catastrophes. Entretiens sur les mathématiques, la science et la philosophie*, réalisés par Giulio Giorello et Simona Morini, Paris, Flammarion, 1983, p. 60.

parmi mille autres défis (instaurer une politique de l'eau, former une police, éloigner les prédateurs cupides, éduquer les enfants, etc.), cela passe par une prise en compte de la catastrophe, ou du moins de sa permanente éventualité, comme fondement de la République. C'est dire qu'il faut peut-être penser le futur d'Haïti en fonction du fait que retrouver la perle sous les cloaques et les vastes tas d'immondices que fouillent ensemble, comme des frères d'infortune, hommes et animaux, c'est miser sur les discontinuités, moteurs de la mémoire active de l'histoire du monde.

Passons maintenant à la littérature, où la mise en œuvre politique de la catastrophe, par le biais du travail de la langue et de la métaphore, rencontre une forme particulièrement significative de l'écriture haïtienne : la spirale. Ce n'est peut-être d'ailleurs pas un hasard si c'est Frankétienne, un professeur de mathématiques et de physique, qui a en quelque sorte inventé le mouvement spiraliste, également développé par Jean-Claude Fignolé et René Philoctète, dans le but de saisir, dans l'écriture et l'esthétique, le mouvement infini du vivant à l'intérieur des structures chaotiques. En outre, comme l'indique lui-même Frankétienne, la spirale *accuse*, si l'on me passe le terme, la catastrophe haïtienne :

> La spirale ne peut pas être définie comme un système d'écriture conditionné par des critères rigoureusement établis. L'esthétique de la spirale implique l'imprévisibilité, l'inattendu, l'ambiguïté, les extrapolations, le hasard, les structures chaotiques, la dimension nocturne à la limite de l'opacité et du parcours labyrinthique. La spirale est un approfondissement de la dialectique, à travers un dépassement de la pseudo-différence entre la matière et l'esprit, qui se rejoignent, s'interpénètrent et se confondent dans la mise en forme de l'énergie sous des aspects infiniment variés. La spirale représente paradoxalement l'œuvre à la fois globale et éclatée, totale et fragmentée, ouverte et vertigineuse [3].

Contrairement donc à notre logique linéaire et primairement dialectique, entièrement vouée à la fuite en avant dans l'accumulation, la logique de la spirale, de l'éternel retour du même, *envertigeant* celui qui s'y plonge, rend manifeste, dans la littérature, « l'immensité chaotique » de l'humanité. C'est ce qui justifie la nécessité d'une « écriture conflagratrice » qui inscrit les discontinuités et la répétition,

3. Frankétienne, « Le spiralisme », *Anthologie secrète*, Montréal, Mémoire d'encrier, 2005, p. 77.

laquelle, comme l'a montré Freud, n'est rien d'autre que la pulsion de mort. Marie Vieux-Chauvet l'a également montré, dans *Amour, colère et folie,* un extraordinaire tableau de la terreur et de la sexualité nouées *en vue de* la destruction de la parole et du lien social, ainsi que Joël Des Rosiers, qui dresse une cartographie ressemblant à s'y méprendre à la dimension catastrophique dont j'esquissais plus haut les grandes lignes, reliant directement la barbarie duvaliériste, soutenue par la bourgeoisie compradora, à «l'hiver nucléaire», au terrorisme, à l'apartheid, à l'appauvrissement exponentiel du monde, au sida et à Auschwitz[4].

Le président Martelly parviendra-t-il à sortir Ayiti de la crise et à faire fructifier les successives catastrophes naturelles et les traumas individuels et collectifs dont elle est porteuse? Arrivera-t-il à semer les vieux démons, à mobiliser l'imaginaire collectif? Réussira-t-il à mettre à contribution le spiralisme contre les puissances de destruction? Cela reste à voir et ne se fera pas en un cillement. Il y faudra du courage, cette antique vertu qui n'est que l'autre nom de la responsabilité. Un président-chanteur... et pourquoi pas... la voix? Frankétienne n'inaugurait-il pas le spiralisme en publiant en 1972 *Ultravocal,* qui se prolongeait, en 1993, par *L'oiseau schizophone,* véritable écriture quantique et délirante convoquant ce mouvement de fractures qu'il désignait d'entrée de jeu comme «[...] vertige de ma terre soûlée de catastrophes, [...] naufrage de mon île[5]»?

4.   Joël Des Rosiers, «Mourir est beau. La pulsion de mort dans l'inconscient collectif haïtien», *Dérives,* spécial Frankétienne, nᵒˢ 53-54, 1987, p. 223. Le roman de Marie Vieux-Chauvet auquel je renvoie ici a été édité une première fois en 1968 chez Gallimard et a récemment été repris en 2005 par Émina Soleil.

5.   Frankétienne, *L'oiseau schizophone,* Port-au-Prince, Éditions des Antilles, 1993, p. 11.

9. LE LIEUTENANT POIRIER

Julien Gracq, *Manuscrits de guerre*, deux textes inédits, avant-propos de Bernhild Boie, Paris, José Corti, 2011, 247 p.

Ce sont deux cahiers d'écolier, l'un rouge et l'autre vert, le rouge étant légèrement plus rempli (77 pages noircies d'une écriture minuscule et appliquée) que l'autre (66 pages), et dans lesquels, de la même calligraphie régulière, sans trop de ratures ni biffures, un soldat français de 30 ans nota et décrivit les mouvements épars et surtout l'*attente*, une attente faite d'angoisse et d'une sourde euphorie mal entremêlées, d'un restant de bataillon qui pataugeait le long de la frontière belge, en mai 1940. Durant cet épisode, un *prologue*, que les historiens de la Seconde Guerre mondiale retinrent sous le nom de la «drôle de guerre», se déroula pour lui et ses hommes, comme avancent des somnambules, une courte période (faite de trois longues semaines) d'inaction et de désorientation de plusieurs centaines de bidasses (les «poilus» de 40) guettant l'arrivée imminente des «Boches»...

Ce soldat de 30 ans tenait à rendre compte de la vraie guerre qui les attendait, de cette armée allemande du chancelier Hitler qui approchait après avoir traversé les Pays-Bas, la Belgique, le Luxembourg... Certains soirs, notera-t-il, ils entendaient dans le vent salin des éclats de voix, des cris, des rires, et quelques rares sifflements de tirs d'obus, mais jamais ne le voyait-il encore en face cet Ennemi, l'Allemand. Jusqu'au matin du 2 juin 1940, quand, terré avec ses camarades dans une cave, ce soldat aurait crié en leur nom : « Ne tirez pas. Nous nous rendons. »

Le militaire se faisant rétrospectivement scribe y décrivait *sa* drôle de guerre qui allait mener le monde *face au pire*, au pire des drames. De retour de captivité, il avait réuni ses souvenirs et jeté ses phrases sur le papier quadrillé de ces cahiers d'écolier ornés en couverture de l'image d'un guerrier à cheval. C'était un ancien élève d'Alain, devenu un jeune agrégé, professeur d'histoire et de géographie et nommé à Quimper. Sur la page cartonnée de ses cahiers, au-dessus de l'idée de conquête que représente un cavalier romain hissant haut son fanion, sa bête bien cambrée aux pattes avant dressées pour l'assaut, image qui n'était cependant qu'une marque de fabrique (Le Conquérant), puisqu'il s'agissait de cahiers ramassés dans une armoire de son lycée, il avait écrit « Souvenirs de guerre » puis « Récit », et il avait abrégé sa signature : L. Poirier. Il avait mis un trait de crayon sous les titres et sous son nom, placé en haut à droite sur les deux cahiers.

C'était le lieutenant Louis Poirier, un officier chef de section au 137e régiment d'infanterie qui avait été détaché en Lorraine avec ses hommes ; ils allaient passer cette drôle de guerre dans des cantonnements divers au pied des côtes de Moselle et dans le Boulonnais, puis ils allaient se déplacer vers la frontière belge, attendre, craindre, s'ennuyer, attendre encore, se saouler, dormir, rigoler, attendre, avancer sans ordre, se désorganiser à vue, manger des tonneaux de patates bouillies, écouter des chansons « idiotes » d'Alibert (« Dans ma péniche, au pont de Saint-Cloud ») et de Tino Rossi (« Tchi-tchi ») giclant d'un phonographe réquisitionné chez l'habitant, boire, chanter à tue-tête, schlinguant la sueur sale et la pisse comme des petits-fils d'Ubu qui ne se lavaient jamais, et ne pas tirer un seul coup... de fusil. Le lieutenant Poirier notait tout, en fait il *nota* tout, après la galère..., revenu dans le civil, redevenu prof. Souvenirs de guerre, en effet, si l'on peut dire « guerre »...

Dans ces deux cahiers, si le premier présente des « Souvenirs », le second est titré « Récit », mais la matière factuelle, atmosphérique et humaine est absolument la même, ces quelque 21 jours de mai 1940 dans cette bulle bidasso-surréaliste qui se gonfla d'absurde avant ce qui deviendra de l'Histoire avec une grande hache (salut Perec, il perdure ton joli mot...). C'est-à-dire, pour ce qui leur restait d'armée comme pour tous les Français, la Retraite, la Déroute, la Débâcle, l'Exode, « la confuse errance », note dans son cahier le lieutenant L. Poirier, puis l'Armistice de Pétain, la Résistance, l'Affiche rouge, le rutabaga et tutti quanti (tout le contraire des actions d'un Conquérant), jusqu'à la fuite des collabos petits et gros vers Sigmaringen et la Libération du bar du Ritz par Hemingway, et incidemment celle du Grand Paris, en grande pompe (« Paris outragée, Paris libérée »), par celui que Churchill nommerait, dans le tome II (« L'heure tragique ») de ses *Mémoires*, « le Connétable de France »...

Ce dénommé Louis Poirier, alors, mais ses hommes ne le savaient sûrement pas, et qui l'aurait su d'ailleurs à part l'éditeur-libraire corse José Corti et quelques-uns des clients de son commerce de la rue de Médicis, avait publié en 1938, sous le beau nom de plume de Julien Gracq (pour Julien Sorel et les Gracchus, antique famille romaine de généreux généraux), un récit apparemment d'inspiration goethéenne (très *affinités électives*), mais qui avait la particularité, au-delà de la trame sentimentale, de donner au paysage, en l'occurrence celui de la Bretagne, un rôle majeur, une subtile force d'envoûtement. Le prof d'« histoire-géo » s'était fait écrivain : mais son *Au château d'Argol* n'avait connu qu'un tirage confidentiel. Une œuvre naissait, cependant, que la guerre interrompait.

Nous en étions donc là, jusqu'à il y a peu, nous les lecteurs admiratifs de Julien Gracq ; nous pensions que, après l'insuccès magnifique du *Château d'Argol* (toute grande œuvre littéraire débute par un insuccès qui, vous menant à La Pléiade — de son vivant pour lui —, vous laissera inconnu de la majorité de vos contemporains et des générations suivantes), il lui avait fallu sept ans pour livrer son deuxième récit, *Un beau ténébreux*, une histoire de marivaudage automnal, lent et triste, dans une station balnéaire dont les plages, les ciels de mer, les embruns matinaux comme les embrouilles nocturnes étaient tissés au point d'une perfection totale de l'art de la prose. Du Rohmer grave, d'avant le Rohmer léger. De l'intelligence. Un chef-d'œuvre. Alors, d'un récit l'autre, pour une entrée magistrale en littérature, il y avait eu sous la signature de Julien Gracq la Bretagne d'un manoir juché sur un éperon rocheux qui dominait une forêt au parfum de cauchemar, puis cette Bretagne de bord de mer d'une morte-saison se passant dans une attente imprécise... Une œuvre continuait, que la guerre n'avait qu'interrompue.

Entre ces deux livres, mobilisé en 1940, Louis Poirier, savait-on, avait été fait prisonnier par les Allemands dans un stalag de Silésie dont il avait été libéré après quelques mois pour raisons de santé (on le croyait tuberculeux), et il avait pu reprendre son métier de professeur d'« histoire-géo » à Amiens, à Angers, puis à Paris en 1947 au lycée Claude Bernard pour un fameux bail, y enseignant durant 23 ans jusqu'en 1970 (et l'un de ses étudiants est aujourd'hui mon éditeur, Pascal Assathiany, qui me dit garder — du professeur Poirier — un souvenir lointain, diffus).

Or, voici que, extraits du fonds Gracq de la Bibliothèque nationale de France, les éditions José Corti publient au début de l'an 2011 (quatre ans après la mort du grand écrivain, célibataire décédé à 97 ans dans la maison paternelle de Saint-Florent-le-Vieil en Maine-et-Loire) ces deux cahiers d'écolier noircis par celui qui fut jadis le lieutenant L. Poirier. L'événement est de grande importance pour tous les « gracquistes ». Il y a là d'abord une matière discrètement autobiographique sur sa vie de soldat (ce que Gracq n'a jamais exploité directement), puis on y trouve en quelque sorte un laboratoire d'écriture, un processus de littérature plutôt, car ces deux textes, les « Souvenirs » et le « Récit », se profilent et s'éclairent, se juxtaposent, et nous montrent comment le grand prosateur (l'un des plus grands de la littérature française de tous les temps) posait d'abord son écriture née de l'observation directe pour ensuite, dans ses récits, ses romans et ses essais, s'en éloigner, distancer les faits, les sarcler, les mettre en question, tout décanter pour en saisir une essence enfouie et sublimée.

« Souvenirs de guerre », écrit au « je », est en quelque sorte un journal, mais on comprend vite, on devine qu'il n'a pas été écrit au jour le jour, malgré les datations. C'est cependant le récit le plus proche possible de ce qui a pu se passer dans cette *attente*, lors de cette *drôle de guerre*. La première entrée est du 10 mai, le bataillon à Winnezeele : « À quatre heures moins le quart le matin : je m'éveille dans ma chambre à carreaux rouges. Quel bruit ! La D.C.A. tire vraiment beaucoup plus fort que d'habitude — n'arrête pas. Partout des vrombissements de moteur. Des mitrailleuses maintenant crachent tout près dans les champs, autour de moi insistent. Il y a dans la persistance de ce fracas quelque chose d'insolite, ce matin. » Bernhild Boie, qui présente ces textes anciens (c'est elle qui a dirigé les deux tomes de La Pléiade), note avec raison qu'il n'y a là aucun recul, aucune maturation, que ces notes sont d'un observateur qui veut d'abord rester en prise directe sur la guerre.

Le 15 mai : «Un paysan hollandais vient traire des vaches et m'offre du lait. Délices. Le temps est radieux. Un océan de verdure tonnante — un petit vent tout gracieux dans les feuilles de peupliers. Perdus dans la nature, oui, parfaitement. À ma droite, à ma gauche, personne — ou très loin. Les murailles légères des peupliers nous enclosent. Quelle guerre bucolique! Impossible que ça se passe mal dans un tel paradis.»

Le 24 mai : «Je me plaque contre le sol, essayant d'y faire adhérer, pénétrer par pression chaque centimètre de ma peau. Le visage sur-tout, que j'essaie d'imprimer dans la terre. Le bord du casque s'arc-boute bêtement en avant et l'arrière se soulève comme une soupape. J'essaie de faire glisser ma musette devant moi. Ah! avoir au moins quelque chose, ne fût-ce qu'un bout d'étoffe, devant la tête. Derrière moi, je sens l'infinie longueur de mes jambes à découvert. Moment d'angoisse pure, de passivité absolue. De seconde en mortelle seconde, j'attends la prochaine rafale dans le crâne — trois, quatre minutes. J'ai tout le temps d'y penser. Impuissance absolue — rigoureusement rien à faire — qu'une subtilité dans l'immobilité qui me fait pénétrer le génie des cailloux, des minéraux.»

Même si dans l'entrée de ce 24 mai, jour si terrible sur la route entre Gravelines et Dunkerque, il note que «la littérature ne me lâche pas sur la ligne de feu», il demeure qu'il écrit là au plus près du réel, du vécu, avec cette seule distance *temporaire* du fait qu'il ne va remplir son carnet de ces «Souvenirs» qu'une fois revenu du front et du camp de prisonniers. Comment, pour nous ses lecteurs qui connaissons l'œuvre entière de cet écrivain portant sur l'illimité de la vie, ne pas trembler d'émotion devant son évocation du «génie des cailloux, des minéraux»...

Dans «Récit», le deuxième texte *déterré* aux Archives nationales, Gracq commence à l'emporter sur Poirier. Écrit au «il», un narra-teur décrivant ce qui arrive au «lieutenant G.» (G. pour Gracq) et à sa troupe, ce texte est une première tentative de mise en littérature (de saisie de l'expérience à travers la force de la fiction) de la même matière, mais ramenée à l'échelle de deux jours, ceux du 23 et du 24 mai. On passe du *souvenir* au *récit*, l'écrivain travaille, car on sent bien que, dans ces pages, Julien Gracq (qui n'écrit pas là pour une publication : «elles n'ont jamais été destinées à nos yeux», avoue Bernhild Boie) tentait, en prenant appui sur l'*expérience*, de faire en sorte que quelque chose de cette guerre absurde, et bucolique et dure, pouvait devenir *affaire de littérature*. Ce qu'il fera en effet, par la suite, hors ces carnets qu'il avait définitivement mis au tiroir...

Ce sera le sublimissime *Un balcon en forêt*, son quatrième livre qu'il n'écrira que dix-huit ans plus tard, en 1958 (sept ans après son Goncourt refusé pour *Le rivage des Syrtes*), un roman d'exception qui surplombe tout ce qui a pu s'écrire sur la « drôle de guerre ». Un roman justement *dégagé* de sa propre aventure vécue, un monde entièrement recréé, totalement écrit dans la *liberté grande* de la littérature, la forêt y remplaçant ce qui était la mer dans les carnets, cette mer qu'il sentait proche quand il avançait en mai 40 avec ses hommes ivres et dépenaillés sur les routes du Nord, vers Dunkerque, vers l'étrange défaite et leur prise en captivité.

Dans *Un balcon en forêt*, la route des Flandres n'est plus là, et le lieutenant Grange (un autre lieutenant G.) n'attend pas de rafale dans le crâne, il passe ses heures dans la tranquillité à peine inquiète d'un blockhaus perché au-dessus des arbres, à proximité de la frontière belge ; le silence remplace les tirs de mitraillettes, et le vent les chansons de Tino Rossi ; le silence de la forêt, comme celui de la mer, immobilise tout dans un temps suspendu, un permanent silence (le téléphone sera coupé) qui deviendra cependant oppressant, mais qu'il n'osera pas fuir. Le lieutenant Grange se contentera d'offrir à boire aux derniers de la colonne qui, enjouée mais hagarde, passe par là en montant vers la Belgique... Julien Gracq est alors en pleine possession de son art qui est de rendre la beauté comme la lourdeur du banal.

Il est maintenant essentiel à qui admire la prose de cet écrivain appliqué et génial de lire ces deux carnets estampillés « Le Conquérant », avec lesquels on mesurera quelle grande conquête cet écrivain a remportée en se battant pour la littérature, pour elle seule..., seule capable de nous faire pénétrer le *génie des cailloux*...

COMITÉ DE RÉDACTION

EVELYNE DE LA CHENELIÈRE est auteure et comédienne. Ses pièces de théâtre ont été montées au Québec ainsi qu'en traduction à l'étranger. Parmi elles, mentionnons *Des fraises en janvier, Henri & Margaux, Bashir Lazhar* et *Les pieds des anges. Désordre public,* un recueil de pièces, a obtenu en 2006 le Prix littéraire du Gouverneur général.

OLIVIER KEMEID est auteur de théâtre et metteur en scène. Ses pièces ont été jouées et lues au Québec, aux États-Unis, en Allemagne, en France et en Hongrie. Il est le directeur artistique de la compagnie de théâtre Trois Tristes Tigres, avec laquelle il a notamment produit *L'Énéide* (2007), d'après Virgile, à Espace Libre et en tournée au Québec.

PIERRE LEFEBVRE (rédacteur en chef) travaille comme rédacteur à la pige et conseiller dramaturgique. Il a réalisé plusieurs documentaires radiophoniques pour Radio-Canada. Sa pièce *Lortie,* mise en scène par Daniel Brière, a été présentée à l'Espace Libre à l'automne 2008.

MICHEL PETERSON est psychanalyste et directeur de la collection «Voix psychanalytiques» aux Éditions Liber. Il a publié entre autres *S. I. Witkiewicz : la poétique de l'inassouvissement* (Montréal, Balzac, 1995), ainsi que plusieurs ouvrages collectifs, dont *As armas do texto : a literatura e a resistência da literatura* (Porto Alegre, UFRGS, 2000) et *A literatura soberana* (São Paulo, Humanitas, 2010). Il a traduit, en portugais, des ouvrages de Francis Ponge, de Réjean Ducharme et de Jacques Derrida.

ROBERT RICHARD enseigne la littérature à l'université et a publié des essais, dont *Le corps logique de la fiction* (l'Hexagone, 1989) et *L'émotion européenne : Dante, Sade, Aquin* (prix *Spirale* Eva-Le-Grand, Varia, 2004). Il a aussi publié un roman : *A Johnny Novel* (The Mercury Press, 1997) ; *Le roman de Johnny* (Balzac/Le Griot, 1998).

JEAN-PHILIPPE WARREN est professeur de sociologie à l'Université Concordia.

COLLABORATEURS

DANIEL CANTY est auteur et réalisateur. Il crée des livres, des films et des interfaces pour l'interaction publique et le Web. Son dernier projet amalgame cinéma, littérature et nouveaux médias, et est visible en ligne au http://letableaudesdeparts.com. Il enseigne un cours de son invention, *L'Inclasse,* à l'École nationale de théâtre du Canada. Sa traduction de *L'homme aux sept orteils* de Michael Ondaatje paraîtra cet automne au Noroît.

HAN DAEKYUN est professeur de littérature française à l'Université de Cheongju (Corée) et le fondateur de l'Association coréenne d'études québécoises (ACEQ).

Également traducteur, il a réalisé des traductions coréennes de Hugo, de Rimbaud, de Bonnefoy et de Miron. Il a aussi, en collaboration avec Gilles Cyr, traduit en français un bon nombre de poètes coréens.

GILLES DUPUIS est professeur de littérature à l'Université de Montréal et codirecteur du Centre de recherche interuniversitaire sur la littérature et la culture québécoises (CRILCQ). Il est également membre des comités de rédaction de la revue *Intermédialités* et du magazine *Spirale*. Il a publié, en collaboration avec Klaus Ertler, *À la carte. Le roman québécois (2000-2005)* (Peter Lang, 2007) et, avec Dominique Garand, *Italie-Québec. Croisements et coïncidences littéraires* (Nota bene, 2009).

ROBERT LALONDE est comédien et écrivain. Parmi ses nombreux ouvrages, mentionnons *Le seul instant* (Boréal, 2011), *Que vais-je devenir jusqu'à ce que je meure ?* (Boréal, 2005) et *Le fou du père* (Boréal, 1988), pour lequel il a obtenu le Grand Prix de la Ville de Montréal.

STÉPHANE LÉPINE est chargé de cours à l'École supérieure de théâtre de l'Université du Québec à Montréal, et a élaboré la série de concerts associant musique et littérature présentée cette saison à l'Orchestre symphonique de Montréal. Dramaturge et rédacteur pour de nombreux artistes et compagnies de théâtre, il a multiplié les publications dans presque tous les domaines de la culture.

ROBERT LÉVESQUE est critique. Il a, entre autres, publié *Déraillements* (2011), *L'allié de personne* (2003) et *La liberté de blâmer* (1997) aux Éditions du Boréal.

MICHAEL ONDAATJE est un romancier, essayiste et poète canadien anglais. Né en 1943 au Sri Lanka, il s'est établi au Canada en 1962. Il a publié treize recueils de poésie, dont *The Collected Works of Billy the Kid* (Anansi, 1970), qui lui a mérité le Prix du Gouverneur général du Canada. Il a également publié cinq romans, dont *The English Patient* (McLelland and Stewart, 1992), ouvrage qui a été primé par le Booker Prize.

JACQUES RANCOURT est né au Québec en 1946 et vit à Paris depuis 1971. Il a publié une vingtaine de recueils de poèmes et livres d'artiste, des essais et anthologies de poésie contemporaine, ainsi que des traductions de l'anglais et de l'espagnol. Il dirige depuis trente ans le Festival franco-anglais de poésie et la revue *La Traductière*. *Veilleur sans sommeil*, une rétrospective de ses poèmes (1974-2008), a paru en 2010 au Noroît, en coédition avec le Temps des Cerises, à Paris.

LISE VAILLANCOURT est auteure dramatique et romancière. Elle a écrit une quinzaine de pièces de théâtre. Elle travaille comme dramaturge auprès du chorégraphe Pierre-Paul Savoie et est actuellement présidente du Centre des auteurs dramatiques (CEAD).

AVIS PUBLIC

LES COLLECTIONS DE PLUSIEURS REVUES CULTURELLES QUÉBÉCOISES SERONT BIENTÔT OFFERTES EN VERSION NUMÉRIQUE.

DANS LE CADRE D'UN VASTE PROJET DE VALORISATION DES PUBLICATIONS QUÉBÉCOISES, LA SOCIÉTÉ DE DÉVELOPPEMENT DES PÉRIODIQUES CULTURELS QUÉBÉCOIS (SODEP) A PROCÉDÉ À LA NUMÉRISATION RÉTROSPECTIVE DE PLUSIEURS REVUES MEMBRES. LES COLLECTIONS NUMÉRISÉES SERONT ACCESSIBLES, LIBREMENT ET GRATUITEMENT, SUR LA PLATEFORME ÉRUDIT (WWW.ERUDIT.ORG). VOICI LA LISTE DES REVUES NUMÉRISÉES :

24 images, 1979-2009
Biscuit chinois, 2006-2009
Brèves littéraires, 1990-2009
Cahiers littéraires Contre-jour, 2003-2009
Cap-aux-Diamants, 1985-2009
Ciel variable, 1986-2009
Ciné-Bulles, 1982-2009
Circuit, 1990-1998 et 2001-2006
Continuité, 1982-2009
Entre les lignes, 2004-2009
Espace, 1987-2009
ETC, 1987-2009
Histoire Québec, 1995-2009
Inter, 1978-2009
Jeu, Revue de théâtre, 1976-2009
L'Annuaire théâtral, 1985-2008
Lettres québécoises, 1976-2009
Liaison, 1978-2009
Liberté, 1959-2009
Lurelu, 1978-2009
Mœbius, 1977-2009
Nuit blanche, 1982-2009
Québec français, 1974-2009
Séquences, 1955-2009
Spirale, 2002-2009
Vie des Arts, 1956-2009
XYZ. La revue de la nouvelle, 1985-2009

Tout titulaire de droits (auteur d'articles, photographe, illustrateur, etc.) sur une œuvre publiée dans une ou plusieurs des revues énumérées ci-contre, qui ne souhaite pas voir son œuvre diffusée sur le site Érudit, peut adresser une demande écrite conjointement à la SODEP et à l'éditeur pour que son œuvre soit retirée.

Fondée en 1978, la Société de développement des périodiques culturels québécois (www.sodep.qc.ca) est un organisme à but non lucratif, constitué juridiquement depuis 1980. Elle est la doyenne mondiale des associations vouées à la défense et à la promotion des revues culturelles.

Société à but non lucratif, Érudit (www.erudit.org) est un consortium interuniversitaire composé de l'Université de Montréal, de l'Université Laval et de l'Université du Québec à Montréal.

Ce projet a été rendu possible grâce au soutien financier du gouvernement du Canada, par l'entremise du Fonds du Canada pour les magazines du ministère du Patrimoine canadien.

liberté

Revue littéraire de création et de critique

Fondée en 1959 par Jean-Guy Pilon.

COMITÉ DE RÉDACTION
Evelyne de la Chenelière, Philippe Gendreau (directeur administratif), Olivier Kemeid, Pierre Lefebvre (rédacteur en chef), Michel Peterson, Robert Richard, Jean-Philippe Warren

COORDONNATRICE ADMINISTRATIVE
Fannie Labonté

CONSEIL D'ADMINISTRATION
Pierre Lefebvre, président
Michel Peterson, vice-président
Philippe Gendreau, secrétaire / trésorier

COUVERTURE Christian Bélanger
CONCEPTION DE LA MAQUETTE Élise Cropsal
MISE EN PAGES TypoLab
IMPRESSION AGMV Marquis inc.

Toute correspondance concernant la rédaction doit être adressée à :
Liberté, **4067, boul. Saint-Laurent, suite 303, Montréal (Qc) H2W 1Y7**
TÉLÉPHONE 514 598-8457 / info@revueliberte.ca / www.revueliberte.ca

La revue n'est pas responsable des manuscrits qui lui sont adressés et laisse à ses collaborateurs la responsabilité entière de leurs textes.

NUMÉROS THÉMATIQUES RÉCENTS

291 **Ruptures et filiations : dix années de Jamais Lu** (avril 2011)
290 **Attention ! Un élitisme peut en cacher un autre** (février 2011)
289 **Nikos Kachtitsis : un héros de montréal** (décembre 2010)
288 **Institutions** (juin 2010)
287 **Théâtre — 1959 – 2009** (février 2010)
286 **Littérature — 1959 – 2009** (novembre 2009)

Pour se procurer d'anciens numéros, s'adresser à la rédaction. Le catalogue *Liberté 1959 –1999* est disponible sur demande.

PROCHAIN NUMÉRO

293 **Printemps arabe(s)** (septembre 2011)

 liberté

FORMULAIRE D'ABONNEMENT

UN AN — QUATRE NUMÉROS

Tarifs au Canada (taxes incluses)   **Tarif à l'étranger**

☐ Étudiant* / 30 $ ☐ Individu et institution / 65 $

☐ Individu / 40 $

☐ Institution / 55 $

☐ Abt de soutien / 70 $ et +

* Joindre une photocopie de la carte étudiante.

Nom et prénom ....

Adresse ....

Ville .... Province ....

Code postal .... Pays ....

Téléphone ....

Courriel ....

☐ Chèque ou mandat-poste à l'ordre de SODEP (Liberté)
   en devise canadienne uniquement

☐ Visa   ☐ Mastercard

N° de carte .... Expiration ....

Signature ....

Retourner ce bulletin à l'adresse suivante :
SODEP (Liberté)
C. P. 160 succursale Place d'Armes
Montréal (Québec) H2Y 3E9
TÉLÉPHONE : 514 397-8670
TÉLÉCOPIEUR : 514 397-6887
abonnement@sodep.qc.ca / www.sodep.qc.ca